Les Fleurs du mal

CLASSICOLYCÉE

Les Fleurs du mal

CHARLES BAUDELAIRE

Dossier par Henri Scepi
Agrégé de lettres modernes

BELIN ■ GALLIMARD

Sommaire

Le tour de l'œuvre en 9 fiches

Groupements de textes

Vers l'écrit du bac

Fenêtre sur...

Glossaire

Pour entrer dans l'œuvre

Lorsque paraissent *Les Fleurs du mal* en 1857, le scandale est immédiat. Le recueil de Baudelaire, au titre «explosif», attire à lui les foudres de la critique conservatrice et celles, non moins violentes, de la censure impériale. Car n'oubliez pas que nous sommes dans les premières années du Second Empire, régime qui ne se distingue pas par son sens de la tolérance et du pluralisme. Aussi reproche-t-on à Baudelaire de s'être rendu coupable d'un outrage aux bonnes mœurs en ayant inséré dans son volume de vers des poèmes où domine franchement la note d'un érotisme, disons... malsain. Provocation ? Réalisme déplacé ? On conclut très vite à la pornographie. Une information judiciaire est ouverte en juillet 1857 qui conduit à la saisie des exemplaires mis en vente.

Du jour au lendemain, le nom de Baudelaire est sur toutes les lèvres et le livre en procès suscite déjà l'enthousiasme impatient de ceux qui appellent de leurs vœux une poésie audacieuse et subversive. Il est vrai que *Les Fleurs du mal*, par bien des aspects, marquent une rupture et inaugurent une ère nouvelle. Rupture par rapport à l'héritage de la poésie romantique, qui se voit contestée dans sa foi en l'avenir de l'homme et au dogme du progrès de l'Humanité, conçu comme une marche vers le bien. Pensez à Hugo, par exemple, qui est le champion de cette poésie de l'homme libéré et éclairé. Pour Baudelaire, l'homme est voué au désastre: livré aux jeux pervers du démon, il succombe au péché. Bref, il est écrasé sous le poids d'une damnation qui paraît sans espoir. Par là – comme le dit avec force le titre du recueil – la poésie se fait poésie du mal: antithèse initiale qui marque, d'emblée, cette alliance inédite de la beauté (Fleurs) et du malheur (du mal). Telle est la nouveauté de l'ouvrage. Sa modernité. Et cette modernité-là ne pouvait évidemment pas plaire aux censeurs de l'Empire, qui concevaient la littérature comme une entreprise de moralisation.

Vous l'aurez compris, cette poésie du mal ne se résume pas à la simple déclinaison de quelques motifs sataniques rehaussés d'un érotisme sulfureux. Elle engage aussi une vision du monde et de l'Histoire, placée sous le signe du désenchantement et de la mélancolie. Une conscience malheureuse s'expose dans les poèmes des *Fleurs du mal*, pour laquelle les charmes mêmes de la poésie et les illusions consolantes du lyrisme ne suffisent plus. Au sein de la poésie, une fissure s'est donc introduite, qui neutralise le pouvoir des mots et des images, sonde les limites de l'imagination.

Le recueil annonce la poésie de la fin du xixe et du xxe siècle, qui sera fondamentalement critique. C'est pourquoi le poète Yves Bonnefoy (né en 1922) dira des *Fleurs du mal*: «Voici le maître-livre de notre poésie».

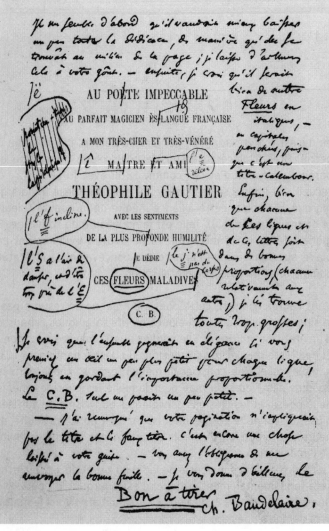

Épreuve d'imprimerie de la dédicace à Théophile Gautier, corrigée de la main de Baudelaire.

AU POÈTE IMPECCABLE
AU PARFAIT MAGICIEN ÈS LANGUE FRANÇAISE

À MON TRÈS-CHER ET TRÈS-VÉNÉRÉ
MAÎTRE ET AMI

THÉOPHILE GAUTIER

AVEC LES SENTIMENTS
DE LA PLUS PROFONDE HUMILITÉ

JE DÉDIE
CES FLEURS MALADIVES
C.B.

Au lecteur

La sottise, l'erreur, le péché, la lésine[1],
Occupent nos esprits et travaillent nos corps,
Et nous alimentons nos aimables remords,
Comme les mendiants nourrissent leur vermine.

5 Nos péchés sont têtus, nos repentirs sont lâches ;
Nous nous faisons payer grassement nos aveux,
Et nous rentrons gaiement dans le chemin bourbeux,
Croyant par de vils pleurs laver toutes nos taches.

Sur l'oreiller du mal c'est Satan Trismégiste[2]
10 Qui berce longuement notre esprit enchanté,
Et le riche métal de notre volonté
Est tout vaporisé par ce savant chimiste.

C'est le Diable qui tient les fils qui nous remuent !
Aux objets répugnants nous trouvons des appas[3] ;
15 Chaque jour vers l'Enfer nous descendons d'un pas,
Sans horreur, à travers des ténèbres qui puent.

Ainsi qu'un débauché pauvre qui baise et mange
Le sein martyrisé d'une antique catin[4],
Nous volons au passage un plaisir clandestin
20 Que nous pressons bien fort comme une vieille orange.

---

1. Lésine : avarice, ladrerie.
2. Trismégiste : dans l'Antiquité les Grecs considéraient Hermès Trismégiste (littéralement : trois fois très grand) comme le dieu du savoir et de la magie. Plus tard, on a vu en lui le fondateur de l'alchimie.
3. Appas : orthographié de cette façon, le terme désigne les charmes ou les attraits d'une femme.
4. Catin : prostituée.

Serré, fourmillant, comme un million d'helminthes[1],
Dans nos cerveaux ribote[2] un peuple de Démons,
Et, quand nous respirons, la Mort dans nos poumons
Descend, fleuve invisible, avec de sourdes plaintes.

25 Si le viol, le poison, le poignard, l'incendie,
N'ont pas encor brodé de leurs plaisants dessins
Le canevas banal de nos piteux destins,
C'est que notre âme, hélas! n'est pas assez hardie.

Mais parmi les chacals, les panthères, les lices[3],
30 Les singes, les scorpions, les vautours, les serpents,
Les monstres glapissants, hurlants, grognants, rampants,
Dans la ménagerie infâme de nos vices,

Il en est un plus laid, plus méchant, plus immonde!
Quoiqu'il ne pousse ni grands gestes ni grands cris,
35 Il ferait volontiers de la terre un débris
Et dans un bâillement avalerait le monde;

C'est l'Ennui! – l'œil chargé d'un pleur involontaire,
Il rêve d'échafauds en fumant son houka[4].
Tu le connais, lecteur, ce monstre délicat,
40 – Hypocrite lecteur, – mon semblable, – mon frère!

---

1. **Helminthes**: vers parasites de l'intestin.
2. **Ribote**: s'adonne à des excès de table et de boisson.
3. **Lice**: femelle d'un chien de chasse.
4. **Houka**: pipe dans laquelle, en Orient, on fume l'opium ou le haschich.

SPLEEN ET IDÉAL

I
Bénédiction

Lorsque, par un décret des puissances suprêmes,
Le Poète apparaît en ce monde ennuyé,
Sa mère épouvantée et pleine de blasphèmes
Crispe ses poings vers Dieu, qui la prend en pitié :

5 — «Ah ! que n'ai-je mis bas tout un nœud de vipères,
Plutôt que de nourrir cette dérision !
Maudite soit la nuit aux plaisirs éphémères
Où mon ventre a conçu mon expiation !

Puisque tu m'as choisie entre toutes les femmes
10 Pour être le dégoût de mon triste mari,
Et que je ne puis pas rejeter dans les flammes,
Comme un billet d'amour, ce monstre rabougri,

Je ferai rejaillir ta haine qui m'accable
Sur l'instrument maudit de tes méchancetés,
15 Et je tordrai si bien cet arbre misérable,
Qu'il ne pourra pousser ses boutons empestés ! »

Elle ravale ainsi l'écume de sa haine,
Et, ne comprenant pas les desseins éternels,
Elle-même prépare au fond de la Géhenne[1]
20 Les bûchers consacrés aux crimes maternels.

---

1. Géhenne : terme biblique qui désigne l'enfer.

Pourtant, sous la tutelle invisible d'un Ange,
L'Enfant déshérité s'enivre de soleil,
Et dans tout ce qu'il boit et dans tout ce qu'il mange
Retrouve l'ambroisie[1] et le nectar vermeil.

25 Il joue avec le vent, cause avec le nuage,
Et s'enivre en chantant du chemin de la croix ;
Et l'Esprit qui le suit dans son pèlerinage
Pleure de le voir gai comme un oiseau des bois.

Tous ceux qu'il veut aimer l'observent avec crainte,
30 Ou bien, s'enhardissant de sa tranquillité,
Cherchent à qui saura lui tirer une plainte,
Et font sur lui l'essai de leur férocité.

Dans le pain et le vin destinés à sa bouche
Ils mêlent de la cendre avec d'impurs crachats ;
35 Avec hypocrisie ils jettent ce qu'il touche,
Et s'accusent d'avoir mis leurs pieds dans ses pas.

Sa femme va criant sur les places publiques :
« Puisqu'il me trouve assez belle pour m'adorer,
Je ferai le métier des idoles antiques,
40 Et comme elles je veux me faire redorer ;

Et je me soûlerai de nard[2], d'encens, de myrrhe,
De génuflexions, de viandes et de vins,
Pour savoir si je puis dans un cœur qui m'admire
Usurper en riant les hommages divins !

---

1. **Ambroisie** : nourriture procurant l'immortatlité.
2. **Nard** : parfum d'Orient extrait d'une racine aromatique.

45 Et, quand je m'ennuierai de ces farces impies,
Je poserai sur lui ma frêle et forte main ;
Et mes ongles, pareils aux ongles des harpies[1],
Sauront jusqu'à son cœur se frayer un chemin.

Comme un tout jeune oiseau qui tremble et qui palpite,
50 J'arracherai ce cœur tout rouge de son sein,
Et, pour rassasier ma bête favorite,
Je le lui jetterai par terre avec dédain ! »

Vers le Ciel, où son œil voit un trône splendide,
Le Poëte serein lève ses bras pieux,
55 Et les vastes éclairs de son esprit lucide
Lui dérobent l'aspect des peuples furieux :

– « Soyez béni, mon Dieu, qui donnez la souffrance
Comme un divin remède à nos impuretés
Et comme la meilleure et la plus pure essence
60 Qui prépare les forts aux saintes voluptés !

Je sais que vous gardez une place au Poëte
Dans les rangs bienheureux des saintes Légions,
Et que vous l'invitez à l'éternelle fête
Des Trônes, des Vertus, des Dominations[2].

65 Je sais que la douleur est la noblesse unique
Où ne mordront jamais la terre et les enfers,
Et qu'il faut pour tresser ma couronne mystique
Imposer tous les temps et tous les univers.

---

1. Harpies : créatures mi-femmes mi-oiseaux de la mythologie grecque.
2. Trônes, Vertus, Dominations : différents ordres dans la hiérarchie céleste des anges.

Mais les bijoux perdus de l'antique Palmyre[1],
70   Les métaux inconnus, les perles de la mer,
Par votre main montés, ne pourraient pas suffire
À ce beau diadème éblouissant et clair;

Car il ne sera fait que de pure lumière,
Puisée au foyer saint des rayons primitifs,
75   Et dont les yeux mortels, dans leur splendeur entière,
Ne sont que des miroirs obscurcis et plaintifs! »

II
L'albatros

Souvent, pour s'amuser, les hommes d'équipage
Prennent des albatros, vastes oiseaux des mers,
Qui suivent, indolents compagnons de voyage,
Le navire glissant sur les gouffres amers.

5   À peine les ont-ils déposés sur les planches,
Que ces rois de l'azur, maladroits et honteux,
Laissent piteusement leurs grandes ailes blanches
Comme des avirons traîner à côté d'eux.

Ce voyageur ailé, comme il est gauche et veule!
10   Lui, naguère si beau, qu'il est comique et laid!
L'un agace son bec avec un brûle-gueule[2],
L'autre mime, en boitant, l'infirme qui volait!

---

1. **Palmyre**: ancienne ville de Syrie.
2. **Brûle-gueule**: pipe munie d'un tuyau très court.

Le Poète est semblable au prince des nuées
Qui hante la tempête et se rit de l'archer ;
15 Exilé sur le sol au milieu des huées,
Ses ailes de géant l'empêchent de marcher.

III
Élévation

Au-dessus des étangs, au-dessus des vallées,
Des montagnes, des bois, des nuages, des mers,
Par delà le soleil, par delà les éthers[1],
Par delà les confins des sphères étoilées,

5 Mon esprit, tu te meus avec agilité,
Et, comme un bon nageur qui se pâme dans l'onde,
Tu sillonnes gaiement l'immensité profonde
Avec une indicible et mâle volupté.

Envole-toi bien loin de ces miasmes morbides ;
10 Va te purifier dans l'air supérieur,
Et bois, comme une pure et divine liqueur,
Le feu clair qui remplit les espaces limpides.

Derrière les ennuis et les vastes chagrins
Qui chargent de leur poids l'existence brumeuse,
15 Heureux celui qui peut d'une aile vigoureuse
S'élancer vers les champs lumineux et sereins ;

───────────────

1. Éthers : espaces célestes.

Celui dont les pensers[1], comme des alouettes,
Vers les cieux le matin prennent un libre essor,
– Qui plane sur la vie, et comprend sans effort
20 Le langage des fleurs et des choses muettes !

IV
Correspondances

La Nature est un temple où de vivants piliers
Laissent parfois sortir de confuses paroles ;
L'homme y passe à travers des forêts de symboles
Qui l'observent avec des regards familiers.

5 Comme de longs échos qui de loin se confondent
Dans une ténébreuse et profonde unité,
Vaste comme la nuit et comme la clarté,
Les parfums, les couleurs et les sons se répondent.

Il est des parfums frais comme des chairs d'enfants,
10 Doux comme les hautbois, verts comme les prairies,
– Et d'autres, corrompus, riches et triomphants,

Ayant l'expansion des choses infinies,
Comme l'ambre[2], le musc[3], le benjoin[4] et l'encens
Qui chantent les transports de l'esprit et des sens.

---

1. Pensers : terme vieilli pour « pensées ».
2. Ambre : parfum exotique extrait de l'intestion des cétacés.
3. Musc : sécrétion animale très odorante.
4. Benjoin : parfum d'Orient.

V

J'aime le souvenir de ces époques nues,
Dont Phœbus[1] se plaisait à dorer les statues.
Alors l'homme et la femme en leur agilité
Jouissaient sans mensonge et sans anxiété,
5   Et, le ciel amoureux leur caressant l'échine,
Exerçaient la santé de leur noble machine.
Cybèle[2] alors, fertile en produits généreux,
Ne trouvait point ses fils un poids trop onéreux,
Mais, louve au cœur gonflé de tendresses communes,
10 Abreuvait l'univers à ses tétines brunes.
L'homme, élégant, robuste et fort, avait le droit
D'être fier des beautés qui le nommaient leur roi ;
Fruits purs de tout outrage et vierges de gerçures,
Dont la chair lisse et ferme appelait les morsures !

15 Le Poète aujourd'hui, quand il veut concevoir
Ces natives grandeurs, aux lieux où se font voir
La nudité de l'homme et celle de la femme,
Sent un froid ténébreux envelopper son âme
Devant ce noir tableau plein d'épouvantement.
20 Ô monstruosités pleurant leur vêtement !
Ô ridicules troncs ! torses dignes des masques !
Ô pauvres corps tordus, maigres, ventrus ou flasques,
Que le dieu de l'Utile, implacable et serein,
Enfants, emmaillota dans ses langes d'airain !
25 Et vous, femmes, hélas ! pâles comme des cierges,
Que ronge et que nourrit la débauche, et vous, vierges,
Du vice maternel traînant l'hérédité

---

1. **Phœbus** : Apollon, dieu du soleil, dans la mythologie grecque.
2. **Cybèle** : déesse de la terre.

Et toutes les hideurs de la fécondité !
Nous avons, il est vrai, nations corrompues,
30 Aux peuples anciens des beautés inconnues :
Des visages rongés par les chancres[1] du cœur,
Et comme qui dirait des beautés de langueur ;
Mais ces inventions de nos muses tardives
N'empêcheront jamais les races maladives
35 De rendre à la jeunesse un hommage profond,
– À la sainte jeunesse, à l'air simple, au doux front,
À l'œil limpide et clair ainsi qu'une eau courante,
Et qui va répandant sur tout, insouciante
Comme l'azur du ciel, les oiseaux et les fleurs,
40 Ses parfums, ses chansons et ses douces chaleurs !

VI
Les phares

Rubens[2], fleuve d'oubli, jardin de la paresse,
Oreiller de chair fraîche où l'on ne peut aimer,
Mais où la vie afflue et s'agite sans cesse,
Comme l'air dans le ciel et la mer dans la mer ;

5 Léonard de Vinci[3], miroir profond et sombre,
Où des anges charmants, avec un doux souris[4]
Tout chargé de mystère, apparaissent à l'ombre
Des glaciers et des pins qui ferment leur pays ;

---

1. Chancre : ulcération infectieuse.
2. Rubens : peintre flamand (1577-1640).
3. Léonard de Vinci : peintre, artiste et savant florentin (1452-1519).
4. Souris : terme vieilli pour « sourire ».

Rembrandt[1], triste hôpital tout rempli de murmures,
10 Et d'un grand crucifix décoré seulement,
Où la prière en pleurs s'exhale des ordures,
Et d'un rayon d'hiver traversé brusquement;

Michel-Ange[2], lieu vague où l'on voit des Hercules
Se mêler à des Christs, et se lever tout droits
15 Des fantômes puissants qui dans les crépuscules
Déchirent leur suaire[3] en étirant leurs doigts;

Colères de boxeur, impudences de faune[4],
Toi qui sus ramasser la beauté des goujats[5],
Grand cœur gonflé d'orgueil, homme débile et jaune,
20 Puget[6], mélancolique empereur des forçats;

Watteau[7], ce carnaval où bien des cœurs illustres,
Comme des papillons, errent en flamboyant,
Décors frais et légers éclairés par des lustres
Qui versent la folie à ce bal tournoyant;

25 Goya[8], cauchemar plein de choses inconnues,
De fœtus qu'on fait cuire au milieu des sabbats[9],
De vieilles au miroir et d'enfants toutes nues,
Pour tenter les démons ajustant bien leurs bas;

---

1. Rembrandt: peintre et graveur hollandais (1606-1669).
2. Michel-Ange: peintre et sculpteur italien (1475-1564).
3. Suaire: linceul.
4. Faune: créature mi-homme mi-chèvre de la mythologie grecque.
5. Goujat: valet d'armée.
6. Puget: sculpteur français (1620-1694).
7. Watteau: peintre français (1684-1721).
8. Goya: peintre espagnol (1746-1828). Voir l'œuvre reproduite au début de l'ouvrage, au verso de la couverture.
9. Sabbats: réunions de sorcières.

Delacroix[1], lac de sang hanté des mauvais anges,
30   Ombragé par un bois de sapins toujours vert,
Où, sous un ciel chagrin, des fanfares étranges
Passent, comme un soupir étouffé de Weber[2];

Ces malédictions, ces blasphèmes, ces plaintes,
Ces extases, ces cris, ces pleurs, ces *Te Deum*[3],
35   Sont un écho redit par mille labyrinthes;
C'est pour les cœurs mortels un divin opium!

C'est un cri répété par mille sentinelles,
Un ordre renvoyé par mille porte-voix;
C'est un phare allumé sur mille citadelles,
40   Un appel de chasseurs perdus dans les grands bois!

Car c'est vraiment, Seigneur, le meilleur témoignage
Que nous puissions donner de notre dignité
Que cet ardent sanglot qui roule d'âge en âge
Et vient mourir au bord de votre éternité!

---

1. Delacroix: peintre français (1798-1863), auquel Baudelaire vouait une admiration indéfectible et sur l'œuvre duquel il a beaucoup écrit.
2. Weber: compositeur allemand (1786-1826).
3. Te Deum: premiers mots du *Te Deum laudamus* (Nous te louons, Dieu). De là, un cantique de louange.

VII
La muse malade

Ma pauvre muse, hélas ! qu'as-tu donc ce matin ?
Tes yeux creux sont peuplés de visions nocturnes,
Et je vois tour à tour réfléchis sur ton teint
La folie et l'horreur, froides et taciturnes.

5   Le succube[1] verdâtre et le rose lutin
T'ont-ils versé la peur et l'amour de leurs urnes ?
Le cauchemar, d'un poing despotique et mutin,
T'a-t-il noyée au fond d'un fabuleux Minturnes[2] ?

Je voudrais qu'exhalant l'odeur de la santé
10   Ton sein de pensers forts fût toujours fréquenté,
Et que ton sang chrétien coulât à flots rythmiques,

Comme les sons nombreux des syllabes antiques,
Où règnent tour à tour le père des chansons,
Phœbus, et le grand Pan[3], le seigneur des moissons.

---

1. Succube : démon féminin qui vient tenter l'homme.
2. Minturnes : marécage situé au sud de Rome.
3. Le grand Pan : le mot « pan » signifie « tout » en grec. De là le statut particulier de ce dieu dans la mythologie grecque : il est à la fois le dieu des bergers et l'incarnation du grand Tout, de la Nature.

VIII
La muse vénale[1]

Ô muse de mon cœur, amante des palais,
Auras-tu, quand Janvier lâchera ses Borées[2],
Durant les noirs ennuis des neigeuses soirées,
Un tison pour chauffer tes deux pieds violets?

5 Ranimeras-tu donc tes épaules marbrées
Aux nocturnes rayons qui percent les volets?
Sentant ta bourse à sec autant que ton palais,
Récolteras-tu l'or des voûtes azurées?

Il te faut, pour gagner ton pain de chaque soir,
10 Comme un enfant de chœur, jouer de l'encensoir,
Chanter des *Te Deum* auxquels tu ne crois guère,

Ou, saltimbanque à jeun, étaler tes appas
Et ton rire trempé de pleurs qu'on ne voit pas,
Pour faire épanouir la rate[3] du vulgaire[4].

---

1. Vénale: qui accomplit quelque chose moyennant rétribution. Ordinairement,
l'expression «femme vénale» désigne la prostituée.
2. Borées: vent froid venu du Nord.
3. Épanouir la rate: provoquer un rire bruyant.
4. Le vulgaire: la foule.

IX
Le mauvais moine

Les cloîtres anciens sur leurs grandes murailles
Étalaient en tableaux la sainte Vérité,
Dont l'effet, réchauffant les pieuses entrailles,
Tempérait la froideur de leur austérité.

5   En ces temps où du Christ florissaient les semailles[1],
Plus d'un illustre moine, aujourd'hui peu cité,
Prenant pour atelier le champ des funérailles,
Glorifiait la Mort avec simplicité.

– Mon âme est un tombeau que, mauvais cénobite[2],
10   Depuis l'éternité je parcours et j'habite;
Rien n'embellit les murs de ce cloître odieux.

Ô moine fainéant! quand saurai-je donc faire
Du spectacle vivant de ma triste misère
Le travail de mes mains et l'amour de mes yeux?

---

1. **Semailles**: ici métaphoriquement la descendance et les fidèles du Christ.
2. **Cénobite**: moine vivant cloîtré.

X
L'ennemi

Ma jeunesse ne fut qu'un ténébreux orage,
Traversé çà et là par de brillants soleils ;
Le tonnerre et la pluie ont fait un tel ravage,
Qu'il reste en mon jardin bien peu de fruits vermeils.

5   Voilà que j'ai touché l'automne des idées,
Et qu'il faut employer la pelle et les râteaux
Pour rassembler à neuf les terres inondées,
Où l'eau creuse des trous grands comme des tombeaux.

Et qui sait si les fleurs nouvelles que je rêve
10 Trouveront dans ce sol lavé comme une grève[1]
Le mystique aliment qui ferait leur vigueur ?

– Ô douleur ! ô douleur ! Le Temps mange la vie,
Et l'obscur Ennemi qui nous ronge le cœur
Du sang que nous perdons croît et se fortifie !

---

1. Grève : rivage.

XI
Le guignon [1]

Pour soulever un poids si lourd,
Sisyphe [2], il faudrait ton courage !
Bien qu'on ait du cœur à l'ouvrage,
L'Art est long et le Temps est court.

5   Loin des sépultures célèbres,
Vers un cimetière isolé,
Mon cœur, comme un tambour voilé [3],
Va battant des marches funèbres.

– Maint joyau dort enseveli
10   Dans les ténèbres et l'oubli,
Bien loin des pioches et des sondes ;

Mainte fleur épanche à regret
Son parfum doux comme un secret
Dans les solitudes profondes.

---

1. Guignon : familièrement, malchance, malédiction.
2. Sisyphe : personnage de la mythologie grecque condamnné à rouler inlassablement au sommet d'une montagne un rocher qui sans cesse retombait .
3. Voilé : revêtu d'un voile noir en signe de deuil.

XII
La vie antérieure

J'ai longtemps habité sous de vastes portiques
Que les soleils marins teignaient de mille feux,
Et que leurs grands piliers, droits et majestueux,
Rendaient pareils, le soir, aux grottes basaltiques.

5   Les houles, en roulant les images des cieux,
Mêlaient d'une façon solennelle et mystique
Les tout-puissants accords de leur riche musique
Aux couleurs du couchant reflété par mes yeux.

C'est là que j'ai vécu dans les voluptés calmes,
10 Au milieu de l'azur, des vagues, des splendeurs
Et des esclaves nus, tout imprégnés d'odeurs,

Qui me rafraîchissaient le front avec des palmes,
Et dont l'unique soin était d'approfondir
Le secret douloureux qui me faisait languir.

XIII
Bohémiens en voyage

La tribu prophétique aux prunelles ardentes
Hier s'est mise en route, emportant ses petits
Sur son dos, ou livrant à leurs fiers appétits
Le trésor toujours prêt des mamelles pendantes.

5   Les hommes vont à pied sous leurs armes luisantes
Le long des chariots où les leurs sont blottis,
Promenant sur le ciel des yeux appesantis
Par le morne regret des chimères absentes.

Du fond de son réduit sablonneux, le grillon,
10 Les regardant passer, redouble sa chanson ;
Cybèle[1], qui les aime, augmente ses verdures,

Fait couler le rocher et fleurir le désert
Devant ces voyageurs, pour lesquels est ouvert
L'empire familier des ténèbres futures.

---

1. **Cybèle** : déesse de la nature.

XIV
L'homme et la mer

Homme libre, toujours tu chériras la mer !
La mer est ton miroir ; tu contemples ton âme
Dans le déroulement infini de sa lame,
Et ton esprit n'est pas un gouffre moins amer.

5 Tu te plais à plonger au sein de ton image ;
Tu l'embrasses des yeux et des bras, et ton cœur
Se distrait quelquefois de sa propre rumeur
Au bruit de cette plainte indomptable et sauvage.

Vous êtes tous les deux ténébreux et discrets :
10 Homme, nul n'a sondé le fond de tes abîmes ;
Ô mer, nul ne connaît tes richesses intimes,
Tant vous êtes jaloux de garder vos secrets !

Et cependant voilà des siècles innombrables
Que vous vous combattez sans pitié ni remord,
15 Tellement vous aimez le carnage et la mort,
Ô lutteurs éternels, ô frères implacables !

XV
Don Juan aux enfers

Quand Don Juan descendit vers l'onde souterraine
Et lorsqu'il eut donné son obole à Charon[1],
Un sombre mendiant, l'œil fier comme Antisthène[2],
D'un bras vengeur et fort saisit chaque aviron.

5   Montrant leurs seins pendants et leurs robes ouvertes,
Des femmes se tordaient sous le noir firmament,
Et, comme un grand troupeau de victimes offertes,
Derrière lui traînaient un long mugissement.

Sganarelle en riant lui réclamait ses gages[3],
10   Tandis que Don Luis[4] avec un doigt tremblant
Montrait à tous les morts errant sur les rivages
Le fils audacieux qui railla son front blanc.

Frissonnant sous son deuil, la chaste et maigre Elvire[5],
Près de l'époux perfide et qui fut son amant,
15   Semblait lui réclamer un suprême sourire
Où brillât la douceur de son premier serment.

---

1. Charon: dans la mythologie grecque, Charon fait passer le Styx, fleuve des Enfers, aux âmes des trépassés.
2. Antisthène: philosophe grec (444-365), fondateur de la secte des Cyniques, qui résolut de mener une vie de pauvreté en accord avec ses idées.
3. Lui réclamait ses gages: allusion aux derniers mots de *Don Juan*, la pièce de Molière.
4. Don Luis: père de Don Juan. Allusion à la scène 4 de l'acte IV de la pièce de Molière.
5. Elvire: dernière femme de Don Juan.

Tout droit dans son armure, un grand homme de pierre [1]
Se tenait à la barre et coupait le flot noir ;
Mais le calme héros, courbé sur sa rapière [2],
20 Regardait le sillage et ne daignait rien voir.

XVI
Châtiment de l'orgueil

En ces temps merveilleux où la Théologie
Fleurit avec le plus de sève et d'énergie,
On raconte qu'un jour un docteur des plus grands,
– Après avoir forcé les cœurs indifférents ;
5 Les avoir remués dans leurs profondeurs noires ;
Après avoir franchi vers les célestes gloires
Des chemins singuliers à lui-même inconnus,
Où les purs Esprits seuls peut-être étaient venus, –
Comme un homme monté trop haut, pris de panique,
10 S'écria, transporté d'un orgueil satanique :
« Jésus, petit Jésus ! je t'ai poussé bien haut !
Mais, si j'avais voulu t'attaquer au défaut
De l'armure, ta honte égalerait ta gloire,
Et tu ne serais plus qu'un fœtus dérisoire ! »

15 Immédiatement sa raison s'en alla.
L'éclat de ce soleil d'un crêpe se voila ;

---

1. Un grand homme de pierre : il s'agit de la statue du Commandeur qui, dans la pièce de Molière, vient châtier le libertin.
2. Rapière : épée.

Tout le chaos roula dans cette intelligence,
Temple autrefois vivant, plein d'ordre et d'opulence,
Sous les plafonds duquel tant de pompe avait lui.
20   Le silence et la nuit s'installèrent en lui,
Comme dans un caveau dont la clef est perdue.
Dès lors il fut semblable aux bêtes de la rue,
Et, quand il s'en allait sans rien voir, à travers
Les champs, sans distinguer les étés des hivers,
25   Sale, inutile et laid comme une chose usée,
Il faisait des enfants la joie et la risée.

XVII
La beauté

Je suis belle, ô mortels! comme un rêve de pierre,
Et mon sein, où chacun s'est meurtri tour à tour,
Est fait pour inspirer au poète un amour
Éternel et muet ainsi que la matière.

5   Je trône dans l'azur comme un sphinx incompris;
J'unis un cœur de neige à la blancheur des cygnes;
Je hais le mouvement qui déplace les lignes,
Et jamais je ne pleure et jamais je ne ris.

Les poètes, devant mes grandes attitudes,
10 Que j'ai l'air d'emprunter aux plus fiers monuments,
Consumeront leurs jours en d'austères études;

Car j'ai, pour fasciner ces dociles amants,
De purs miroirs qui font toutes choses plus belles:
Mes yeux, mes larges yeux aux clartés éternelles!

XVIII
L'idéal

Ce ne seront jamais ces beautés de vignettes,
Produits avariés, nés d'un siècle vaurien,
Ces pieds à brodequins[1], ces doigts à castagnettes,
Qui sauront satisfaire un cœur comme le mien.

5 Je laisse à Gavarni[2], poète des chloroses[3],
Son troupeau gazouillant de beautés d'hôpital,
Car je ne puis trouver parmi ces pâles roses
Une fleur qui ressemble à mon rouge idéal.

Ce qu'il faut à ce cœur profond comme un abîme,
10 C'est vous, Lady Macbeth[4], âme puissante au crime,
Rêve d'Eschyle[5] éclos au climat des autans[6];

Ou bien toi, grande Nuit[7], fille de Michel-Ange,
Qui tors paisiblement dans une pose étrange
Tes appas façonnés aux bouches des Titans!

---

1. **Brodequins**: petites bottines portées par les femmes et les enfants.
2. **Gavarni**: Dessinateur et caricaturiste français (1804-1866).
3. **Chloroses**: formes d'anémie.
4. **Lady Macbeth**: dans la pièce de Shakespeare, *Macbeth,* Lady Macbeth incite son mari à assassiner le roi Duncan. Elle incarne la femme inspiratrice du crime.
5. **Eschyle**: le premier grand tragique grec.
6. **Autans**: vents violents.
7. **Nuit**: évocation de la statue allégorique de Michel-Ange placée sur le tombeau de Julien dans la Chapelle des Médicis à Florence.

XIX
La géante

Du temps que la Nature en sa verve puissante
Concevait chaque jour des enfants monstrueux,
J'eusse aimé vivre auprès d'une jeune géante,
Comme aux pieds d'une reine un chat voluptueux.

5 J'eusse aimé voir son corps fleurir avec son âme
Et grandir librement dans ses terribles jeux;
Deviner si son cœur couve une sombre flamme
Aux humides brouillards qui nagent dans ses yeux;

Parcourir à loisir ses magnifiques formes;
10 Ramper sur le versant de ses genoux énormes,
Et parfois en été, quand les soleils malsains,

Lasse, la font s'étendre à travers la campagne,
Dormir nonchalamment à l'ombre de ses seins,
Comme un hameau paisible au pied d'une montagne.

XX
Le masque

Statue allégorique dans le goût de la Renaissance

À Ernest Christophe[1], statuaire.

Contemplons ce trésor de grâces florentines;
Dans l'ondulation de ce corps musculeux
L'Élégance et la Force abondent, sœurs divines.
Cette femme, morceau vraiment miraculeux,
5 Divinement robuste, adorablement mince,
Est faite pour trôner sur des lits somptueux,
Et charmer les loisirs d'un pontife[2] ou d'un prince.

– Aussi, vois ce souris fin et voluptueux
Où la Fatuité promène son extase;
10 Ce long regard sournois, langoureux et moqueur;
Ce visage mignard[3], tout encadré de gaze,
Dont chaque trait nous dit avec un air vainqueur:
« La Volupté m'appelle et l'Amour me couronne! »
À cet être doué de tant de majesté
15 Vois quel charme excitant la gentillesse donne!
Approchons, et tournons autour de sa beauté.

Ô blasphème de l'art! ô surprise fatale!
La femme au corps divin, promettant le bonheur,
Par le haut se termine en monstre bicéphale[4]!

---

1. **Ernest Christophe**: sculpteur (1827-1892).
2. **Pontife**: pape.
3. **Mignard**: d'une délicatesse affectée.
4. **Bicéphale**: à deux têtes.

20   – Mais non ! ce n'est qu'un masque, un décor suborneur[1],
Ce visage éclairé d'une exquise grimace,
Et, regarde, voici, crispée atrocement,
La véritable tête, et la sincère face
Renversée à l'abri de la face qui ment.

25   Pauvre grande beauté ! le magnifique fleuve
De tes pleurs aboutit dans mon cœur soucieux ;
Ton mensonge m'enivre, et mon âme s'abreuve
Aux flots que la Douleur fait jaillir de tes yeux !

– Mais pourquoi pleure-t-elle ? Elle, beauté parfaite
30   Qui mettrait à ses pieds le genre humain vaincu,
Quel mal mystérieux ronge son flanc d'athlète ?

– Elle pleure, insensé, parce qu'elle a vécu !
Et parce qu'elle vit ! Mais ce qu'elle déplore
Surtout, ce qui la fait frémir jusqu'aux genoux,
35   C'est que demain, hélas ! il faudra vivre encore !
Demain, après-demain et toujours ! – comme nous !

XXI
Hymne à la beauté

Viens-tu du ciel profond ou sors-tu de l'abîme,
Ô Beauté ? ton regard, infernal et divin,
Verse confusément le bienfait et le crime,
Et l'on peut pour cela te comparer au vin.

---

1. **Suborneur** : trompeur.

5 Tu contiens dans ton œil le couchant et l'aurore ;
   Tu répands des parfums comme un soir orageux ;
   Tes baisers sont un philtre et ta bouche une amphore
   Qui font le héros lâche et l'enfant courageux.

   Sors-tu du gouffre noir ou descends-tu des astres ?
10 Le Destin charmé suit tes jupons comme un chien ;
   Tu sèmes au hasard la joie et les désastres,
   Et tu gouvernes tout et ne réponds de rien.

   Tu marches sur des morts, Beauté, dont tu te moques ;
   De tes bijoux l'Horreur n'est pas le moins charmant,
15 Et le Meurtre, parmi tes plus chères breloques[1],
   Sur ton ventre orgueilleux danse amoureusement.

   L'éphémère ébloui vole vers toi, chandelle,
   Crépite, flambe et dit : Bénissons ce flambeau !
   L'amoureux pantelant[2] incliné sur sa belle
20 A l'air d'un moribond caressant son tombeau.

   Que tu viennes du ciel ou de l'enfer, qu'importe,
   Ô Beauté ! monstre énorme, effrayant, ingénu !
   Si ton œil, ton souris, ton pied, m'ouvrent la porte
   D'un Infini que j'aime et n'ai jamais connu ?

25 De Satan ou de Dieu, qu'importe ? Ange ou Sirène,
   Qu'importe, si tù rends, – fée aux yeux de velours,
   Rythme, parfum, lueur, ô mon unique reine ! –
   L'univers moins hideux et les instants moins lourds ?

---

1. Breloque : petit bijou que l'on porte attaché à un bracelet ou à chaîne.
2. Pantelant : haletant.

XXII
Parfum exotique

Quand, les deux yeux fermés, en un soir chaud d'automne,
Je respire l'odeur de ton sein chaleureux,
Je vois se dérouler des rivages heureux
Qu'éblouissent les feux d'un soleil monotone ;

5   Une île paresseuse où la nature donne
Des arbres singuliers et des fruits savoureux ;
Des hommes dont le corps est mince et vigoureux,
Et des femmes dont l'œil par sa franchise étonne.

Guidé par ton odeur vers de charmants climats,
10   Je vois un port rempli de voiles et de mâts
Encor tout fatigués par la vague marine,

Pendant que le parfum des verts tamariniers[1],
Qui circule dans l'air et m'enfle la narine,
Se mêle dans mon âme au chant des mariniers.

---

1. Tamariniers : arbres des régions tropicales.

XXIII
La chevelure

Ô toison, moutonnant jusque sur l'encolure !
Ô boucles ! Ô parfum chargé de nonchaloir[1] !
Extase ! Pour peupler ce soir l'alcôve obscure
Des souvenirs dormant dans cette chevelure,
5 Je la veux agiter dans l'air comme un mouchoir !

La langoureuse Asie et la brûlante Afrique,
Tout un monde lointain, absent, presque défunt,
Vit dans tes profondeurs, forêt aromatique !
Comme d'autres esprits voguent sur la musique,
10 Le mien, ô mon amour ! nage sur ton parfum.

J'irai là-bas où l'arbre et l'homme, pleins de sève,
Se pâment longuement sous l'ardeur des climats ;
Fortes tresses, soyez la houle qui m'enlève !
Tu contiens, mer d'ébène, un éblouissant rêve
15 De voiles, de rameurs, de flammes et de mâts :

Un port retentissant où mon âme peut boire
À grands flots le parfum, le son et la couleur ;
Où les vaisseaux, glissant dans l'or et dans la moire[2],
Ouvrent leurs vastes bras pour embrasser la gloire
20 D'un ciel pur où frémit l'éternelle chaleur.

---

1. **Nonchaloir** : mot vieilli pour « nonchalance ».
2. **Moire** : étoffe à reflet changeant. Ici, reflets changeants et chatoyants.

Je plongerai ma tête amoureuse d'ivresse
Dans ce noir océan où l'autre est enfermé ;
Et mon esprit subtil que le roulis caresse
Saura vous retrouver, ô féconde paresse,
25 Infinis bercements du loisir embaumé !

Cheveux bleus, pavillon[1] de ténèbres tendues,
Vous me rendez l'azur du ciel immense et rond ;
Sur les bords duvetés de vos mèches tordues
Je m'enivre ardemment des senteurs confondues
30 De l'huile de coco, du musc et du goudron.

Longtemps ! toujours ! ma main dans ta crinière lourde
Sèmera le rubis, la perle et le saphir,
Afin qu'à mon désir tu ne sois jamais sourde !
N'es-tu pas l'oasis où je rêve, et la gourde
35 Où je hume à longs traits le vin du souvenir ?

XXIV

Je t'adore à l'égal de la voûte nocturne,
Ô vase de tristesse, ô grande taciturne,
Et t'aime d'autant plus, belle, que tu me fuis,
Et que tu me parais, ornement de mes nuits,
5 Plus ironiquement accumuler les lieues
Qui séparent mes bras des immensités bleues.

_____

1. **Pavillon** : tente ou drapeau.

Je m'avance à l'attaque, et je grimpe aux assauts,
Comme après un cadavre un chœur de vermisseaux,
Et je chéris, ô bête implacable et cruelle !
10 Jusqu'à cette froideur par où tu m'es plus belle !

XXV

Tu mettrais l'univers entier dans ta ruelle[1],
Femme impure ! L'ennui rend ton âme cruelle.
Pour exercer tes dents à ce jeu singulier,
Il te faut chaque jour un cœur au râtelier.
5 Tes yeux, illuminés ainsi que des boutiques
Et des ifs flamboyants dans les fêtes publiques,
Usent insolemment d'un pouvoir emprunté,
Sans connaître jamais la loi de leur beauté.

Machine aveugle et sourde, en cruautés féconde !
10 Salutaire instrument, buveur du sang du monde,
Comment n'as-tu pas honte et comment n'as-tu pas
Devant tous les miroirs vu pâlir tes appas ?
La grandeur de ce mal où tu te crois savante
Ne t'a donc jamais fait reculer d'épouvante,
15 Quand la nature, grande en ses desseins cachés,
De toi se sert, ô femme, ô reine des péchés,
– De toi, vil animal, – pour pétrir un génie ?

Ô fangeuse grandeur ! sublime ignominie !

---

1. Ruelle : espace laissé libre entre le lit et le mur. Par extension, le mot désigne la chambre à coucher.

XXVI
Sed non satiata[1]

Bizarre déité, brune comme les nuits,
Au parfum mélangé de musc et de havane,
Œuvre de quelque obi[2], le Faust[3] de la savane,
Sorcière au flanc d'ébène, enfant des noirs minuits,

5 Je préfère au constance[4], à l'opium, au nuits[5],
L'élixir de ta bouche où l'amour se pavane ;
Quand vers toi mes désirs partent en caravane,
Tes yeux sont la citerne où boivent mes ennuis.

Par ces deux grands yeux noirs, soupiraux de ton âme,
10 Ô démon sans pitié ! verse-moi moins de flamme ;
Je ne suis pas le Styx[6] pour t'embrasser neuf fois,

Hélas ! et je ne puis, Mégère[7] libertine,
Pour briser ton courage et te mettre aux abois,
Dans l'enfer de ton lit devenir Proserpine[8] !

---

1. Sed non satiata : expression extraite d'un vers du poète latin Juvénal, qui évoque dans une de ses satires Messaline, la femme de l'empereur Claude : « Et lassata viris, sed non satiata recessit » (Et lassée des hommes, mais non pas satisfaite, elle se retira).
2. Obi : sorcier africain.
3. Faust : allusion ici au personnage de Goethe, Faust, incarnation du savant qui noue un pacte avec Satan.
4. Constance : vin du Cap.
5. Nuits : il s'agit du vin de Bourgogne, nuits-saint-georges.
6. Styx : fleuve des Enfers, qui en faisait neuf fois le tour.
7. Mégère : une des trois déesses de la vengeance, les Érinyes.
8. Proserpine : épouse de Pluton, le roi des Enfers.

XXVII

Avec ses vêtements ondoyants et nacrés,
Même quand elle marche on croirait qu'elle danse,
Comme ces longs serpents que les jongleurs sacrés
Au bout de leurs bâtons agitent en cadence.

5   Comme le sable morne et l'azur des déserts,
Insensibles tous deux à l'humaine souffrance,
Comme les longs réseaux de la houle des mers,
Elle se développe avec indifférence.

Ses yeux polis sont faits de minéraux charmants,
10   Et dans cette nature étrange et symbolique
Où l'ange inviolé se mêle au sphinx antique,

Où tout n'est qu'or, acier, lumière et diamants,
Resplendit à jamais, comme un astre inutile,
La froide majesté de la femme stérile.

XXVIII
Le serpent qui danse

Que j'aime voir, chère indolente,
De ton corps si beau,
Comme une étoffe vacillante,
Miroiter la peau !

5 Sur ta chevelure profonde
Aux âcres parfums,
Mer odorante et vagabonde
Aux flots bleus et bruns,

Comme un navire qui s'éveille
10 Au vent du matin,
Mon âme rêveuse appareille
Pour un ciel lointain.

Tes yeux, où rien ne se révèle
De doux ni d'amer,
15 Sont deux bijoux froids où se mêle
L'or avec le fer.

À te voir marcher en cadence,
Belle d'abandon,
On dirait un serpent qui danse
20 Au bout d'un bâton.

Sous le fardeau de ta paresse
Ta tête d'enfant
Se balance avec la mollesse
D'un jeune éléphant,

25 Et ton corps se penche et s'allonge
Comme un fin vaisseau
Qui roule bord sur bord et plonge
Ses vergues[1] dans l'eau.

Comme un flot grossi par la fonte
30 Des glaciers grondants,
Quand l'eau de ta bouche remonte
Au bord de tes dents,

Je crois boire un vin de Bohême,
Amer et vainqueur,
35 Un ciel liquide qui parsème
D'étoiles mon cœur !

XXIX
Une charogne

Rappelez-vous l'objet que nous vîmes, mon âme,
Ce beau matin d'été si doux :
Au détour d'un sentier une charogne infâme
Sur un lit semé de cailloux,

5 Les jambes en l'air, comme une femme lubrique,
Brûlante et suant les poisons,
Ouvrait d'une façon nonchalante et cynique
Son ventre plein d'exhalaisons.

---

1. Vergues : pièces de bois soutenant une voile.

Le soleil rayonnait sur cette pourriture,
10   Comme afin de la cuire à point,
Et de rendre au centuple à la grande Nature
           Tout ce qu'ensemble elle avait joint;

Et le ciel regardait la carcasse superbe
           Comme une fleur s'épanouir.
15   La puanteur était si forte, que sur l'herbe
           Vous crûtes vous évanouir.

Les mouches bourdonnaient sur ce ventre putride[1],
           D'où sortaient de noirs bataillons
De larves, qui coulaient comme un épais liquide
20   Le long de ces vivants haillons.

Tout cela descendait, montait comme une vague,
           Ou s'élançait en pétillant;
On eût dit que le corps, enflé d'un souffle vague,
           Vivait en se multipliant.

25 Et ce monde rendait une étrange musique,
           Comme l'eau courante et le vent,
Ou le grain qu'un vanneur d'un mouvement rythmique
           Agite et tourne dans son van[2].

Les formes s'effaçaient et n'étaient plus qu'un rêve,
30   Une ébauche lente à venir,
Sur la toile oubliée, et que l'artiste achève
           Seulement par le souvenir.

---

1. **Putride**: en état de putréfaction, de décomposition.
2. **Van**: grand panier plat en osier pour le vannage du grain.

Derrière les rochers une chienne inquiète
   Nous regardait d'un œil fâché,
35 Épiant le moment de reprendre au squelette
   Le morceau qu'elle avait lâché.

– Et pourtant vous serez semblable à cette ordure,
   À cette horrible infection,
Étoile de mes yeux, soleil de ma nature,
40   Vous, mon ange et ma passion !

Oui ! telle vous serez, ô la reine des grâces,
   Après les derniers sacrements,
Quand vous irez, sous l'herbe et les floraisons grasses,
   Moisir parmi les ossements.

45 Alors, ô ma beauté ! dites à la vermine
   Qui vous mangera de baisers,
Que j'ai gardé la forme et l'essence divine
   De mes amours décomposés !

XXX
De profundis clamavi[1]

J'implore ta pitié, Toi, l'unique que j'aime,
Du fond du gouffre obscur où mon cœur est tombé.
C'est un univers morne à l'horizon plombé,
Où nagent dans la nuit l'horreur et le blasphème ;

5   Un soleil sans chaleur plane au-dessus six mois,
Et les six autres mois la nuit couvre la terre ;
C'est un pays plus nu que la terre polaire ;
– Ni bêtes, ni ruisseaux, ni verdure, ni bois !

Or il n'est pas d'horreur au monde qui surpasse
10   La froide cruauté de ce soleil de glace
Et cette immense nuit semblable au vieux Chaos[2] ;

Je jalouse le sort des plus vils animaux
Qui peuvent se plonger dans un sommeil stupide,
Tant l'écheveau du temps lentement se dévide !

---

1. De profundis clamavi : premiers mots du psaume CXXIX : « Du fond de l'abîme, j'ai crié », qui accompagne, dans la liturgie chrétienne, le repentir du pécheur.
2. Chaos : vide abyssal qui était, selon les récits théogoniques antiques, à l'origine de l'univers.

XXXI
Le vampire

Toi qui, comme un coup de couteau,
Dans mon cœur plaintif es entrée ;
Toi qui, forte comme un troupeau
De démons, vins, folle et parée,

5   De mon esprit humilié
Faire ton lit et ton domaine ;
– Infâme à qui je suis lié
Comme le forçat à la chaîne,

Comme au jeu le joueur têtu,
10 Comme à la bouteille l'ivrogne,
Comme aux vermines la charogne,
– Maudite, maudite sois-tu !

J'ai prié le glaive rapide
De conquérir ma liberté,
15 Et j'ai dit au poison perfide
De secourir ma lâcheté.

Hélas ! le poison et le glaive
M'ont pris en dédain et m'ont dit :
« Tu n'es pas digne qu'on t'enlève
20 À ton esclavage maudit,

Imbécile ! – de son empire
Si nos efforts te délivraient,
Tes baisers ressusciteraient
Le cadavre de ton vampire ! »

XXXII

Une nuit que j'étais près d'une affreuse Juive,
Comme au long d'un cadavre un cadavre étendu,
Je me pris à songer près de ce corps vendu
À la triste beauté dont mon désir se prive.

5 Je me représentai sa majesté native,
Son regard de vigueur et de grâces armé,
Ses cheveux qui lui font un casque parfumé,
Et dont le souvenir pour l'amour me ravive.

Car j'eusse avec ferveur baisé ton noble corps,
10 Et depuis tes pieds frais jusqu'à tes noires tresses
Déroulé le trésor des profondes caresses,

Si, quelque soir, d'un pleur obtenu sans effort
Tu pouvais seulement, ô reine des cruelles !
Obscurcir la splendeur de tes froides prunelles.

XXXIII
Remords posthume

Lorsque tu dormiras, ma belle ténébreuse,
Au fond d'un monument construit en marbre noir,
Et lorsque tu n'auras pour alcôve et manoir
Qu'un caveau pluvieux et qu'une fosse creuse ;

5   Quand la pierre, opprimant ta poitrine peureuse
    Et tes flancs qu'assouplit un charmant nonchaloir[1],
    Empêchera ton cœur de battre et de vouloir,
    Et tes pieds de courir leur course aventureuse,

    Le tombeau, confident de mon rêve infini
10 (Car le tombeau toujours comprendra le poète),
    Durant ces grandes nuits d'où le somme est banni,

    Te dira : « Que vous sert, courtisane imparfaite,
    De n'avoir pas connu ce que pleurent les morts ? »
    – Et le ver rongera ta peau comme un remords.

XXXIV
Le chat

Viens, mon beau chat, sur mon cœur amoureux ;
          Retiens les griffes de ta patte,
Et laisse-moi plonger dans tes beaux yeux,
          Mêlés de métal et d'agate.

5   Lorsque mes doigts caressent à loisir
              Ta tête et ton dos élastique,
    Et que ma main s'enivre du plaisir
              De palper ton corps électrique,

---

1. **Nonchaloir** : nonchalance (vieux).

Je vois ma femme en esprit. Son regard,
10   Comme le tien, aimable bête,
Profond et froid, coupe et fend comme un dard,

        Et, des pieds jusques à la tête,
Un air subtil, un dangereux parfum
        Nagent autour de son corps brun.

XXXV
Duellum [1]

Deux guerriers ont couru l'un sur l'autre ; leurs armes
Ont éclaboussé l'air de lueurs et de sang.
Ces jeux, ces cliquetis du fer sont les vacarmes
D'une jeunesse en proie à l'amour vagissant.

5 Les glaives sont brisés ! comme notre jeunesse,
Ma chère ! Mais les dents, les ongles acérés,
Vengent bientôt l'épée et la dague [2] traîtresse.
– Ô fureur des cœurs mûrs par l'amour ulcérés !

Dans le ravin hanté des chats-pards [3] et des onces [4]
10 Nos héros, s'étreignant méchamment, ont roulé,
Et leur peau fleurira l'aridité des ronces.

---

1. **Duellum** : la guerre, en latin archaïque.
2. **Dague** : arme à lame large et courte.
3. **Chats-pards** : lynx.
4. **Onces** : grands félins au pelage tacheté et épais (panthères).

– Ce gouffre, c'est l'enfer, de nos amis peuplé !
Roulons-y sans remords, amazone inhumaine,
Afin d'éterniser l'ardeur de notre haine !

XXXVI
Le balcon

Mère des souvenirs, maîtresse des maîtresses,
Ô toi, tous mes plaisirs ! ô toi, tous mes devoirs !
Tu te rappelleras la beauté des caresses,
La douceur du foyer et le charme des soirs,
5   Mère des souvenirs, maîtresse des maîtresses !

Les soirs illuminés par l'ardeur du charbon,
Et les soirs au balcon, voilés de vapeurs roses.
Que ton sein m'était doux ! que ton cœur m'était bon !
Nous avons dit souvent d'impérissables choses
10   Les soirs illuminés par l'ardeur du charbon.

Que les soleils sont beaux dans les chaudes soirées !
Que l'espace est profond ! que le cœur est puissant !
En me penchant vers toi, reine des adorées,
Je croyais respirer le parfum de ton sang.
15   Que les soleils sont beaux dans les chaudes soirées !

La nuit s'épaississait ainsi qu'une cloison,
Et mes yeux dans le noir devinaient tes prunelles,
Et je buvais ton souffle, ô douceur ! ô poison !
Et tes pieds s'endormaient dans mes mains fraternelles.
20   La nuit s'épaississait ainsi qu'une cloison.

Je sais l'art d'évoquer les minutes heureuses,
Et revis mon passé blotti dans tes genoux.
Car à quoi bon chercher tes beautés langoureuses
Ailleurs qu'en ton cher corps et qu'en ton cœur si doux ?
25 Je sais l'art d'évoquer les minutes heureuses !

Ces serments, ces parfums, ces baisers infinis,
Renaîtront-ils d'un gouffre interdit à nos sondes,
Comme montent au ciel les soleils rajeunis
Après s'être lavés au fond des mers profondes ?
30 – Ô serments ! ô parfums ! ô baisers infinis !

XXXVII
Le possédé

Le soleil s'est couvert d'un crêpe. Comme lui,
Ô Lune de ma vie ! emmitoufle-toi d'ombre ;
Dors ou fume à ton gré ; sois muette, sois sombre,
Et plonge tout entière au gouffre de l'Ennui ;

5 Je t'aime ainsi ! Pourtant, si tu veux aujourd'hui,
Comme un astre éclipsé qui sort de la pénombre,
Te pavaner aux lieux que la Folie encombre,
C'est bien ! Charmant poignard, jaillis de ton étui !

Allume ta prunelle à la flamme des lustres !
10 Allume le désir dans les regards des rustres !
Tout de toi m'est plaisir, morbide ou pétulant ;

Sois ce que tu voudras, nuit noire, rouge aurore ;
Il n'est pas une fibre en tout mon corps tremblant
Qui ne crie : *Ô mon cher Belzébuth*[1], *je t'adore !*

XXXVIII
Un fantôme

I
Les ténèbres

Dans les caveaux d'insondable tristesse
Où le Destin m'a déjà relégué ;
Où jamais n'entre un rayon rose et gai ;
Où, seul avec la Nuit, maussade hôtesse,

5 Je suis comme un peintre qu'un Dieu moqueur
Condamne à peindre, hélas ! sur les ténèbres ;
Où, cuisinier aux appétits funèbres,
Je fais bouillir et je mange mon cœur,

Par instants brille, et s'allonge, et s'étale
10 Un spectre fait de grâce et de splendeur.
À sa rêveuse allure orientale,

Quand il atteint sa totale grandeur,
Je reconnais ma belle visiteuse :
C'est Elle ! noire et pourtant lumineuse.

---

1. **Belzébuth** : prince des démons.

II
Le parfum

Lecteur, as-tu quelquefois respiré
Avec ivresse et lente gourmandise
Ce grain d'encens qui remplit une église,
Ou d'un sachet le musc[1] invétéré?

5   Charme profond, magique, dont nous grise
Dans le présent le passé restauré!
Ainsi l'amant sur un corps adoré
Du souvenir cueille la fleur exquise.

De ses cheveux élastiques et lourds,
10   Vivant sachet, encensoir de l'alcôve,
Une senteur montait, sauvage et fauve,

Et des habits, mousseline ou velours,
Tout imprégnés de sa jeunesse pure,
Se dégageait un parfum de fourrure.

III
Le cadre

Comme un beau cadre ajoute à la peinture,
Bien qu'elle soit d'un pinceau très-vanté,
Je ne sais quoi d'étrange et d'enchanté
En l'isolant de l'immense nature,

---

1. **Musc**: substance odorante.

5 Ainsi bijoux, meubles, métaux, dorure,
   S'adaptaient juste à sa rare beauté ;
   Rien n'offusquait sa parfaite clarté,
   Et tout semblait lui servir de bordure.

   Même on eût dit parfois qu'elle croyait
10 Que tout voulait l'aimer ; elle noyait
   Sa nudité voluptueusement

   Dans les baisers du satin et du linge,
   Et, lente ou brusque, à chaque mouvement
   Montrait la grâce enfantine du singe.

IV
Le portrait

   La Maladie et la Mort font des cendres
   De tout le feu qui pour nous flamboya.
   De ces grands yeux si fervents et si tendres,
   De cette bouche où mon cœur se noya,

5 De ces baisers puissants comme un dictame[1],
   De ces transports plus vifs que des rayons,
   Que reste-t-il ? C'est affreux, ô mon âme !
   Rien qu'un dessin fort pâle, aux trois crayons[2],

   Qui, comme moi, meurt dans la solitude,
10 Et que le Temps, injurieux vieillard,
   Chaque jour frotte avec son aile rude…

---

1. **Dictame** : remède.
2. **Aux trois crayons** : exécuté à l'aide de trois crayons différents (sanguine, craie et pierre noire).

Noir assassin de la Vie et de l'Art,
Tu ne tueras jamais dans ma mémoire
Celle qui fut mon plaisir et ma gloire !

XXXIX

Je te donne ces vers afin que si mon nom
Aborde heureusement aux époques lointaines,
Et fait rêver un soir les cervelles humaines,
Vaisseau favorisé par un grand aquilon[1],

5 Ta mémoire, pareille aux fables incertaines,
Fatigue le lecteur ainsi qu'un tympanon[2],
Et par un fraternel et mystique chaînon
Reste comme pendue à mes rimes hautaines ;

Être maudit à qui, de l'abîme profond
10 Jusqu'au plus haut du ciel, rien, hors moi, ne répond !
– Ô toi qui, comme une ombre à la trace éphémère,

Foules d'un pied léger et d'un regard serein
Les stupides mortels qui t'ont jugée amère,
Statue aux yeux de jais, grand ange au front d'airain !

---

1. **Aquilon** : vent du Nord.
2. **Tympanon** : tambour.

XL
Semper eadem [1]

« D'où vous vient, disiez-vous, cette tristesse étrange,
Montant comme la mer sur le roc noir et nu ? »
– Quand notre cœur a fait une fois sa vendange,
Vivre est un mal. C'est un secret de tous connu,

5 Une douleur très-simple et non mystérieuse,
Et, comme votre joie, éclatante pour tous.
Cessez donc de chercher, ô belle curieuse !
Et, bien que votre voix soit douce, taisez-vous !

Taisez-vous, ignorante ! âme toujours ravie !
10 Bouche au rire enfantin ! Plus encor que la Vie,
La Mort nous tient souvent par des liens subtils.

Laissez, laissez mon cœur s'enivrer d'un *mensonge*,
Plonger dans vos beaux yeux comme dans un beau songe,
Et sommeiller longtemps à l'ombre de vos cils !

---

1. Semper eadem : formule latine pouvant signifier « toujours la même » ou
« toujours les mêmes choses ».

XLI
Tout entière

Le Démon, dans ma chambre haute,
Ce matin est venu me voir,
Et tâchant à me prendre en faute,
Me dit : « Je voudrais bien savoir,

5   Parmi toutes les belles choses
Dont est fait son enchantement,
Parmi les objets noirs ou roses
Qui composent son corps charmant,

Quel est le plus doux. » – Ô mon âme !
10   Tu répondis à l'Abhorré[1] :
« Puisqu'en Elle tout est dictame[2], → *Remède (au niveau physique et non psycologique)*
Rien ne peut être préféré.

Lorsque tout me ravit, j'ignore
Si quelque chose me séduit.
15   Elle éblouit comme l'Aurore
Et console comme la Nuit ;

Et l'harmonie est trop exquise,
Qui gouverne tout son beau corps,
Pour que l'impuissante analyse
20   En note les nombreux accords.

---

1. Abhorré : détesté.
2. Dictame : plante médicinale apaisante ; baume moral, au sens figuré.

correspondance horizontale {
Ô métamorphose mystique
De tous mes sens fondus en un !
Son haleine fait la musique, A B B A
Comme sa voix fait le parfum ! »

chiasme des sens

synesthésie

XLII

Que diras-tu ce soir, pauvre âme solitaire,
Que diras-tu, mon cœur, cœur autrefois flétri,
À la très belle, à la très bonne, à la très chère,
Dont le regard divin t'a soudain refleuri ?

5   – Nous mettrons notre orgueil à chanter ses louanges :
Rien ne vaut la douceur de son autorité ;
Sa chair spirituelle a le parfum des Anges,
Et son œil nous revêt d'un habit de clarté.

Que ce soit dans la nuit et dans la solitude,
10 Que ce soit dans la rue et dans la multitude,
Son fantôme dans l'air danse comme un flambeau.

Parfois il parle et dit : «Je suis belle, et j'ordonne
Que pour l'amour de moi vous n'aimiez que le Beau ;
Je suis l'Ange gardien, la Muse et la Madone. »

XLIII
Le flambeau vivant

Ils marchent devant moi, ces Yeux pleins de lumières,
Qu'un Ange très-savant a sans doute aimantés;
Ils marchent, ces divins frères qui sont mes frères,
Secouant dans mes yeux leurs feux diamantés.

5   Me sauvant de tout piège et de tout péché grave,
Ils conduisent mes pas dans la route du Beau;
Ils sont mes serviteurs et je suis leur esclave;
Tout mon être obéit à ce vivant flambeau.

Charmants Yeux, vous brillez de la clarté mystique
10   Qu'ont les cierges brûlant en plein jour; le soleil
Rougit, mais n'éteint pas leur flamme fantastique;

Ils célèbrent la Mort, vous chantez le Réveil;
Vous marchez en chantant le réveil de mon âme,
Astres dont nul soleil ne peut flétrir la flamme!

XLIV
Réversibilité[1]

Ange plein de gaieté, connaissez-vous l'angoisse,
La honte, les remords, les sanglots, les ennuis,
Et les vagues terreurs de ces affreuses nuits
Qui compriment le cœur comme un papier qu'on froisse ?
5   Ange plein de gaieté, connaissez-vous l'angoisse ?

Ange plein de bonté, connaissez-vous la haine,
Les poings crispés dans l'ombre et les larmes de fiel,
Quand la Vengeance bat son infernal rappel,
Et de nos facultés se fait le capitaine ?
10   Ange plein de bonté, connaissez-vous la haine ?

Ange plein de santé, connaissez-vous les Fièvres,
Qui, le long des grands murs de l'hospice blafard,
Comme des exilés, s'en vont d'un pied traînard,
Cherchant le soleil rare et remuant les lèvres ?
15   Ange plein de santé, connaissez-vous les Fièvres ?

Ange plein de beauté, connaissez-vous les rides,
Et la peur de vieillir, et ce hideux tourment
De lire la secrète horreur du dévouement
Dans des yeux où longtemps burent nos yeux avides ?
20   Ange plein de beauté, connaissez-vous les rides ?

---

1. Réversibilité : le terme possède un sens théologique : « les mérites des saints et des fidèles forment un trésor de grâces dont les pécheurs peuvent avoir, s'il plaît à Dieu, le bénéfice » (A. Adam). Ainsi la bonté des uns peut se reverser au crédit des autres, selon la volonté de Dieu.

Ange plein de bonheur, de joie et de lumières,
David[1] mourant aurait demandé la santé
Aux émanations de ton corps enchanté ;
Mais de toi je n'implore, ange, que tes prières,
Ange plein de bonheur, de joie et de lumières !

XLV
Confession

Une fois, une seule, aimable et douce femme,
    À mon bras votre bras poli
S'appuya (sur le fond ténébreux de mon âme
    Ce souvenir n'est point pâli),

5 Il était tard ; ainsi qu'une médaille neuve
    La pleine lune s'étalait,
Et la solennité de la nuit, comme un fleuve,
    Sur Paris dormant ruisselait.

Et le long des maisons, sous les portes cochères,
10   Des chats passaient furtivement,
L'oreille au guet, ou bien, comme des ombres chères,
    Nous accompagnaient lentement.

---

1. David : allusion à un épisode de la Bible (I, Rois, I, 1-4). Le roi David, vieux et malade, se réchauffa aux côtés d'une jeune vierge.

Tout à coup, au milieu de l'intimité libre
                Éclose à la pâle clarté,
15 De vous, riche et sonore instrument où ne vibre
                Que la radieuse gaieté,

De vous, claire et joyeuse ainsi qu'une fanfare
                Dans le matin étincelant,
Une note plaintive, une note bizarre
20   S'échappa, tout en chancelant

Comme une enfant chétive, horrible, sombre, immonde,
                Dont sa famille rougirait,
Et qu'elle aurait longtemps, pour la cacher au monde,
                Dans un caveau mise au secret.

25 Pauvre ange, elle chantait, votre note criarde :
                « Que rien ici-bas n'est certain,
Et que toujours, avec quelque soin qu'il se farde,
                Se trahit l'égoïsme humain ;

Que c'est un dur métier que d'être belle femme,
30   Et que c'est le travail banal
De la danseuse folle et froide qui se pâme
                Dans un sourire machinal ;

Que bâtir sur les cœurs est une chose sotte ;
                Que tout craque, amour et beauté,
35 Jusqu'à ce que l'Oubli les jette dans sa hotte
                Pour les rendre à l'Éternité ! »

J'ai souvent évoqué cette lune enchantée,
                Ce silence et cette langueur,
Et cette confidence horrible chuchotée
40   Au confessionnal du cœur.

XLVI
L'aube spirituelle

Quand chez les débauchés l'aube blanche et vermeille
Entre en société de l'Idéal rongeur,
Par l'opération d'un mystère vengeur
Dans la brute assoupie un ange se réveille.

5 Des Cieux Spirituels l'inaccessible azur,
Pour l'homme terrassé qui rêve encore et souffre,
S'ouvre et s'enfonce avec l'attirance du gouffre.
Ainsi, chère Déesse, Être lucide et pur,

Sur les débris fumeux des stupides orgies
10 Ton souvenir plus clair, plus rose, plus charmant,
À mes yeux agrandis voltige incessamment.

Le soleil a noirci la flamme des bougies ;
Ainsi, toujours vainqueur, ton fantôme est pareil,
Âme resplendissante, à l'immortel soleil !

XLVII
Harmonie du soir

Voici venir les temps où vibrant sur sa tige
Chaque fleur s'évapore ainsi qu'un encensoir ;
Les sons et les parfums tournent dans l'air du soir ;
Valse mélancolique et langoureux vertige !

5 Chaque fleur s'évapore ainsi qu'un encensoir ;
Le violon frémit comme un cœur qu'on afflige ;
Valse mélancolique et langoureux vertige !
Le ciel est triste et beau comme un grand reposoir[1].

Le violon frémit comme un cœur qu'on afflige,
10 Un cœur tendre, qui hait le néant vaste et noir !
Le ciel est triste et beau comme un grand reposoir ;
Le soleil s'est noyé dans son sang qui se fige.

Un cœur tendre, qui hait le néant vaste et noir,
Du passé lumineux recueille tout vestige !
15 Le soleil s'est noyé dans son sang qui se fige…
Ton souvenir en moi luit comme un ostensoir[2] !

XLVIII
Le flacon

Il est de forts parfums pour qui toute matière
Est poreuse. On dirait qu'ils pénètrent le verre.
En ouvrant un coffret venu de l'Orient
Dont la serrure grince et rechigne en criant,

---

1. Reposoir : autel sur lequel est placé le Saint Sacrement au cours d'une procession.
2. Ostensoir : pièce d'orfévrerie contenant l'hostie consacrée et exposée à l'adoration des fidèles lors de la célébration de l'eucharistie.

5   Ou dans une maison déserte quelque armoire
Pleine de l'âcre odeur des temps, poudreuse[1] et noire,
Parfois on trouve un vieux flacon qui se souvient,
D'où jaillit toute vive une âme qui revient.

Mille pensers dormaient, chrysalides funèbres,
10 Frémissant doucement dans les lourdes ténèbres,
Qui dégagent leur aile et prennent leur essor,
Teintés d'azur, glacés de rose, lamés d'or.

Voilà le souvenir enivrant qui voltige
Dans l'air troublé ; les yeux se ferment ; le Vertige
15 Saisit l'âme vaincue et la pousse à deux mains
Vers un gouffre obscurci de miasmes humains ;

Il la terrasse au bord d'un gouffre séculaire,
Où, Lazare[2] odorant déchirant son suaire,
Se meut dans son réveil le cadavre spectral
20 D'un vieil amour ranci, charmant et sépulcral.

Ainsi, quand je serai perdu dans la mémoire
Des hommes, dans le coin d'une sinistre armoire
Quand on m'aura jeté, vieux flacon désolé,
Décrépit, poudreux, sale, abject, visqueux, fêlé,

25 Je serai ton cercueil, aimable pestilence[3] !
Le témoin de ta force et de ta virulence,
Cher poison préparé par les anges ! liqueur
Qui me ronge, ô la vie et la mort de mon cœur !

---

1. **Poudreuse** : poussiéreuse.
2. **Lazare** : tel est le nom de l'homme que le Christ ressuscite en l'invitant à sortir de son tombeau.
3. **Pestilence** : odeur nauséabonde.

XLIX
Le poison

Le vin sait revêtir le plus sordide bouge[1]
      D'un luxe miraculeux,
Et fait surgir plus d'un portique fabuleux
      Dans l'or de sa vapeur rouge,
5 Comme un soleil couchant dans un ciel nébuleux.

L'opium agrandit ce qui n'a pas de bornes,
      Allonge l'illimité,
Approfondit le temps, creuse la volupté,
      Et de plaisirs noirs et mornes
10 Remplit l'âme au delà de sa capacité.

Tout cela ne vaut pas le poison qui découle
      De tes yeux, de tes yeux verts,
Lacs où mon âme tremble et se voit à l'envers…
      Mes songes viennent en foule
15 Pour se désaltérer à ces gouffres amers.

Tout cela ne vaut pas le terrible prodige
      De ta salive qui mord,
Qui plonge dans l'oubli mon âme sans remord[2],
      Et, charriant le vertige,
20 La roule défaillante aux rives de la mort !

---

1. Bouge: lieu mal famé.
2. Remord: le mot ne comporte pas d's, du fait des contraintes homographiques de la rime remord/mort. C'est là une licence poétique.

L
Ciel brouillé

On dirait ton regard d'une vapeur couvert ;
Ton œil mystérieux (est-il bleu, gris ou vert ?)
Alternativement tendre, rêveur, cruel,
Réfléchit l'indolence et la pâleur du ciel.

5 Tu rappelles ces jours blancs, tièdes et voilés,
Qui font se fondre en pleurs les cœurs ensorcelés,
Quand, agités d'un mal inconnu qui les tord,
Les nerfs trop éveillés raillent l'esprit qui dort.

Tu ressembles parfois à ces beaux horizons
10 Qu'allument les soleils des brumeuses saisons…
Comme tu resplendis, paysage mouillé
Qu'enflamment les rayons tombant d'un ciel brouillé !

Ô femme dangereuse, ô séduisants climats !
Adorerai-je aussi ta neige et vos frimas,
15 Et saurai-je tirer de l'implacable hiver
Des plaisirs plus aigus que la glace et le fer ?

LI
Le chat

I

Dans ma cervelle se promène,
Ainsi qu'en son appartement,
Un beau chat, fort, doux et charmant.
Quand il miaule, on l'entend à peine,

5   Tant son timbre est tendre et discret;
Mais que sa voix s'apaise ou gronde,
Elle est toujours riche et profonde.
C'est là son charme et son secret.

Cette voix, qui perle et qui filtre
10   Dans mon fonds le plus ténébreux,
Me remplit comme un vers nombreux
Et me réjouit comme un philtre.

Elle endort les plus cruels maux
Et contient toutes les extases;
15   Pour dire les plus longues phrases,
Elle n'a pas besoin de mots.

Non, il n'est pas d'archet qui morde
Sur mon cœur, parfait instrument,
Et fasse plus royalement
20   Chanter sa plus vibrante corde,

Que ta voix, chat mystérieux,
Chat séraphique[1], chat étrange,
En qui tout est, comme en un ange,
Aussi subtil qu'harmonieux !

II

25   De sa fourrure blonde et brune
Sort un parfum si doux, qu'un soir
J'en fus embaumé, pour l'avoir
Caressée une fois, rien qu'une.

C'est l'esprit familier du lieu ;
30   Il juge, il préside, il inspire
Toutes choses dans son empire ;
Peut-être est-il fée, est-il dieu ?

Quand mes yeux, vers ce chat que j'aime
Tirés comme par un aimant,
35   Se retournent docilement
Et que je regarde en moi-même,

Je vois avec étonnement
Le feu de ses prunelles pâles,
Clairs fanaux[2], vivantes opales,
40   Qui me contemplent fixement.

---

1. Séraphique : digne des anges, éthéré, aérien.
2. Fanaux : feux ou lanternes servant de repères aux marins.

LII
Le beau navire

Je veux te raconter, ô molle enchanteresse !
Les diverses beautés qui parent ta jeunesse ;
       Je veux te peindre ta beauté,
Où l'enfance s'allie à la maturité.

5 Quand tu vas balayant l'air de ta jupe large,
Tu fais l'effet d'un beau vaisseau qui prend le large,
       Chargé de toile, et va roulant
Suivant un rythme doux, et paresseux, et lent.

Sur ton cou large et rond, sur tes épaules grasses,
10 Ta tête se pavane avec d'étranges grâces ;
       D'un air placide et triomphant
Tu passes ton chemin, majestueuse enfant.

Je veux te raconter, ô molle enchanteresse !
Les diverses beautés qui parent ta jeunesse ;
15   Je veux te peindre ta beauté,
Où l'enfance s'allie à la maturité.

Ta gorge qui s'avance et qui pousse la moire [1],
Ta gorge triomphante est une belle armoire
       Dont les panneaux bombés et clairs
20 Comme les boucliers accrochent des éclairs ;

---

1. Moire : étoffe à reflet changeant. Ici, reflets changeants et chatoyants.

Boucliers provoquants, armés de pointes roses !
Armoire à doux secrets, pleine de bonnes choses,
                    De vins, de parfums, de liqueurs
Qui feraient délirer les cerveaux et les cœurs !

25   Quand tu vas balayant l'air de ta jupe large,
Tu fais l'effet d'un beau vaisseau qui prend le large,
                    Chargé de toile, et va roulant
Suivant un rythme doux, et paresseux, et lent.

Tes nobles jambes, sous les volants qu'elles chassent,
30   Tourmentent les désirs obscurs et les agacent,
                    Comme deux sorcières qui font
Tourner un philtre noir dans un vase profond.

Tes bras, qui se joueraient des précoces hercules,
Sont des boas luisants les solides émules[1],
35   Faits pour serrer obstinément,
Comme pour l'imprimer dans ton cœur, ton amant.

Sur ton cou large et rond, sur tes épaules grasses,
Ta tête se pavane avec d'étranges grâces ;
                    D'un air placide et triomphant
40   Tu passes ton chemin, majestueuse enfant.

---

1. **Émules** : rivaux, concurrents.

LIII
L'invitation au voyage

Mon enfant, ma sœur,
Songe à la douceur
D'aller là-bas vivre ensemble !
Aimer à loisir,
5   Aimer et mourir
Au pays qui te ressemble !
Les soleils mouillés
De ces ciels brouillés
Pour mon esprit ont les charmes
10   Si mystérieux
De tes traîtres yeux,
Brillant à travers leurs larmes.

Là, tout n'est qu'ordre et beauté,
Luxe, calme et volupté.

15   Des meubles luisants,
Polis par les ans,
Décoreraient notre chambre ;
Les plus rares fleurs
Mêlant leurs odeurs
20   Aux vagues senteurs de l'ambre,
Les riches plafonds,
Les miroirs profonds,
La splendeur orientale,
Tout y parlerait
25   À l'âme en secret
Sa douce langue natale.

Là, tout n'est qu'ordre et beauté,
Luxe, calme et volupté.

            Vois sur ces canaux
30   Dormir ces vaisseaux
        Dont l'humeur est vagabonde ;
            C'est pour assouvir
            Ton moindre désir
        Qu'ils viennent du bout du monde.
35   – Les soleils couchants
            Revêtent les champs,
        Les canaux, la ville entière,
            D'hyacinthe[1] et d'or ;
            Le monde s'endort
40   Dans une chaude lumière.

        Là, tout n'est qu'ordre et beauté,
        Luxe, calme et volupté.

LIV
L'irréparable

Pouvons-nous étouffer le vieux, le long Remords,
        Qui vit, s'agite et se tortille,
Et se nourrit de nous comme le ver des morts,
        Comme du chêne la chenille ?
5   Pouvons-nous étouffer l'implacable Remords ?

_____

1. **Hyacinthe** : teinture d'un jaune très prononcé, virant au rouge.

78

Dans quel philtre, dans quel vin, dans quelle tisane,
      Noierons-nous ce vieil ennemi,
Destructeur et gourmand comme la courtisane,
      Patient comme la fourmi ?
10 Dans quel philtre ? – dans quel vin ? – dans quelle tisane ?

Dis-le, belle sorcière, oh ! dis, si tu le sais,
      À cet esprit comblé d'angoisse
Et pareil au mourant qu'écrasent les blessés,
      Que le sabot du cheval froisse,
15 Dis-le, belle sorcière, oh ! dis, si tu le sais,

À cet agonisant que le loup déjà flaire
      Et que surveille le corbeau,
À ce soldat brisé ! s'il faut qu'il désespère
      D'avoir sa croix et son tombeau ;
20 Ce pauvre agonisant que déjà le loup flaire !

Peut-on illuminer un ciel bourbeux et noir ?
      Peut-on déchirer des ténèbres
Plus denses que la poix, sans matin et sans soir,
      Sans astres, sans éclairs funèbres ?
25 Peut-on illuminer un ciel bourbeux et noir ?

L'Espérance qui brille aux carreaux de l'Auberge
      Est soufflée, est morte à jamais !
Sans lune et sans rayons, trouver où l'on héberge
      Les martyrs d'un chemin mauvais !
30 Le Diable a tout éteint aux carreaux de l'Auberge !

Adorable sorcière, aimes-tu les damnés ?
           Dis, connais-tu l'irrémissible [1] ?
Connais-tu le Remords, aux traits empoisonnés,
           À qui notre cœur sert de cible ?
35 Adorable sorcière, aimes-tu les damnés ?

L'Irréparable ronge avec sa dent maudite
           Notre âme, piteux monument,
Et souvent il attaque, ainsi que le termite,
           Par la base le bâtiment.
40 L'Irréparable ronge avec sa dent maudite !

– J'ai vu parfois, au fond d'un théâtre banal
           Qu'enflammait l'orchestre sonore,
Une fée allumer dans un ciel infernal
           Une miraculeuse aurore ;
45 J'ai vu parfois au fond d'un théâtre banal

Un être, qui n'était que lumière, or et gaze,
           Terrasser l'énorme Satan ;
Mais mon cœur, que jamais ne visite l'extase,
           Est un théâtre où l'on attend
50 Toujours, toujours en vain, l'Être aux ailes de gaze !

---

1. **Irrémissible** : qui ne peut obtenir le pardon.

LV
Causerie

Vous êtes un beau ciel d'automne, clair et rose !
Mais la tristesse en moi monte comme la mer,
Et laisse, en refluant, sur ma lèvre morose
Le souvenir cuisant de son limon amer.

5   — Ta main se glisse en vain sur mon sein qui se pâme ;
Ce qu'elle cherche, amie, est un lieu saccagé
Par la griffe et la dent féroce de la femme.
Ne cherchez plus mon cœur ; les bêtes l'ont mangé.

Mon cœur est un palais flétri par la cohue ;
10 On s'y soûle, on s'y tue, on s'y prend aux cheveux !
— un parfum nage autour de votre gorge nue !…

Ô Beauté, dur fléau des âmes, tu le veux !
Avec tes yeux de feu, brillants comme des fêtes,
Calcine ces lambeaux qu'ont épargnés les bêtes !

LVI
Chant d'automne

I

Bientôt nous plongerons dans les froides ténèbres ;
Adieu, vive clarté de nos étés trop courts !
J'entends déjà tomber avec des chocs funèbres
Le bois retentissant sur le pavé des cours.

5 Tout l'hiver va rentrer dans mon être : colère,
Haine, frissons, horreur, labeur dur et forcé,
Et, comme le soleil dans son enfer polaire,
Mon cœur ne sera plus qu'un bloc rouge et glacé.

J'écoute en frémissant chaque bûche qui tombe ;
10 L'échafaud qu'on bâtit n'a pas d'écho plus sourd.
Mon esprit est pareil à la tour qui succombe
Sous les coups du bélier infatigable et lourd.

Il me semble, bercé par ce choc monotone,
Qu'on cloue en grande hâte un cercueil quelque part.
15 Pour qui ? – C'était hier l'été ; voici l'automne !
Ce bruit mystérieux sonne comme un départ.

II

J'aime de vos longs yeux la lumière verdâtre,
Douce beauté, mais tout aujourd'hui m'est amer,
Et rien, ni votre amour, ni le boudoir, ni l'âtre,
20 Ne me vaut le soleil rayonnant sur la mer.

Et pourtant aimez-moi, tendre cœur ! soyez mère,
Même pour un ingrat, même pour un méchant ;
Amante ou sœur, soyez la douceur éphémère
D'un glorieux automne ou d'un soleil couchant.

25   Courte tâche ! La tombe attend ; elle est avide !
Ah ! laissez-moi, mon front posé sur vos genoux,
Goûter, en regrettant l'été blanc et torride,
De l'arrière-saison le rayon jaune et doux !

LVII
À une madone

Ex-voto[1] dans le goût espagnol

Je veux bâtir pour toi, Madone, ma maîtresse,
Un autel souterrain au fond de ma détresse,
Et creuser dans le coin le plus noir de mon cœur,
Loin du désir mondain et du regard moqueur,
5   Une niche, d'azur et d'or tout émaillée,
Où tu te dresseras, Statue émerveillée.
Avec mes Vers polis, treillis d'un pur métal
Savamment constellé de rimes de cristal,

---

1. Ex-voto: dans les églises, plaque sur laquelle figure une formule de gratitude adressée à la Vierge ou à un saint.

Je ferai pour ta tête une énorme Couronne;

10   Et dans ma Jalousie, ô mortelle Madone,

Je saurai te tailler un Manteau, de façon

Barbare, roide et lourd, et doublé de soupçon,

Qui, comme une guérite, enfermera tes charmes;

Non de Perles brodé, mais de toutes mes Larmes!

15   Ta Robe, ce sera mon Désir, frémissant,

Onduleux, mon Désir qui monte et qui descend,

Aux pointes se balance, aux vallons se repose,

Et revêt d'un baiser tout ton corps blanc et rose.

Je te ferai de mon Respect de beaux Souliers

20   De satin, par tes pieds divins humiliés,

Qui, les emprisonnant dans une molle étreinte,

Comme un moule fidèle en garderont l'empreinte.

Si je ne puis, malgré tout mon art diligent,

Pour Marchepied tailler une Lune d'argent,

25   Je mettrai le Serpent[1] qui me mord les entrailles

Sous tes talons, afin que tu foules et railles,

Reine victorieuse et féconde en rachats,

Ce monstre tout gonflé de haine et de crachats.

Tu verras mes Pensers, rangés comme les Cierges

30   Devant l'autel fleuri de la Reine des Vierges,

Étoilant de reflets le plafond peint en bleu,

Te regarder toujours avec des yeux de feu;

Et comme tout en moi te chérit et t'admire,

Tout se fera Benjoin[2], Encens, Oliban[3], Myrrhe,

35   Et sans cesse vers toi, sommet blanc et neigeux,

En Vapeurs montera mon Esprit orageux.

---

1. Le Serpent: allusion ici aux attributs iconographiques qui accompagnent la représentation traditionnelle de la Vierge: la lune (signe de virginité) et le serpent (symbole du mal et du péché) que Marie foule au pied.

2. Benjoin: résine aromatique orientale.

3. Oliban: encens, résine aromatique.

Enfin, pour compléter ton rôle de Marie,
Et pour mêler l'amour avec la barbarie,
Volupté noire ! des sept Péchés capitaux,
40 Bourreau plein de remords, je ferai sept Couteaux [1]
Bien affilés, et comme un jongleur insensible,
Prenant le plus profond de ton amour pour cible,
Je les planterai tous dans ton Cœur pantelant,
Dans ton Cœur sanglotant, dans ton Cœur ruisselant !

---

1. Sept Couteaux : il s'agit des sept épées qui, traditionnellement, transpercent le cœur de la Vierge dite « aux Sept Douleurs ».

Pour comprendre l'essentiel

Un voyage au pays de l'Ailleurs

❶ L'expérience amoureuse, telle qu'elle est évoquée dans la première partie du recueil que vous venez de lire, se présente comme un moyen propre à échapper à la banalité de la réalité quotidienne et à ses contraintes. En prenant appui par exemple sur « La chevelure » et « Le balcon » (XXIII, p. 41 et XXXVI, p. 55), montrez comment se réalise cette évasion.

❷ Le poète reconnaît à la Femme le pouvoir de guider vers l'idéal. Montrez-le en vous appuyant notamment sur « Tout entière » (XLI, p. 62).

❸ Dans « Correspondances » (IV, p. 19), « La vie antérieure » (XII, p. 29) et « Parfum exotique » (XXII, p. 40), le réseau des images (métaphores, comparaisons, symboles...) met en place le pays de l'Ailleurs baudelairien. Retrouvez ces figures en précisant l'effet qu'elles produisent.

L'Idéal et son contraire

❹ Une « confidence horrible » est livrée au poète dans « Confession » (XLV, p. 66). Montrez que cette confidence met en doute le passage de la volupté à l'idéal.

❺ Dans les poèmes XXIV (p. 42), XXVII (p. 45) et XL («Semper eadem», p. 61), la femme complice peut se retourner en ennemie. Montrez comment s'opère ce retournement.

❻ Les deux poèmes intitulés «La beauté» (XVII, p. 34) et «Hymne à la beauté» (XXI, p. 38) illustrent l'ambivalence de l'idéal selon Baudelaire. Comparez ces deux textes et présentez vos conclusions sous la forme d'un paragraphe argumenté de cinq à six lignes.

Le sceau de la malédiction

❼ La condition du poète est la question centrale de «L'ennemi» (X, p. 27) et du «Guignon» (XI, p. 28). Étudiez la manière dont elle est exposée.

❽ La présence de la mort est envahissante dans «Chant d'automne» (LVI, p. 82). Analysez la façon dont elle se manifeste.

❾ Dans «L'irréparable» (LIV, p. 78) apparaissent les raisons explicites de la malédiction du poète. Relevez-les et explicitez les rapports que ce texte entretient avec «Bénédiction» (p. 14), poème d'ouverture de «Spleen et idéal».

Rappelez-vous!

• La poésie de Baudelaire se place sous le signe de la **dualité,** de l'**ambivalence,** voire de la contradiction. Tous les domaines qui fondent une vision de la nature et de l'art (la femme, le beau, notamment) oscillent constamment entre le bien et le mal, entre l'angélique et le satanique. Le poème «L'idéal» (XVIII, p. 35) détourne même le sens convenu du titre. Le poète y loue les vertus d'une beauté maléfique et monstrueuse, exemplairement incarnée sous les traits de Lady Macbeth, «âme puissante au crime» (v. 10).

• Comme le dit Baudelaire: «Des poètes illustres s'étaient partagé depuis longtemps les provinces les plus fleuries du domaine poétique. Il m'a paru plaisant, et d'autant plus agréable que la tâche était plus difficile, d'**extraire la beauté du Mal**» (projet de préface aux *Fleurs du mal*).

Vers l'oral du bac

Analyse du poème XLVII, « Harmonie du soir », p. 68

☛ Montrer que l'évocation du souvenir amoureux est fondée sur des procédés de reprises et de correspondances

Conseils pour la lecture à voix haute

Lecture des deux premiers quatrains (v. 1 à 8).

- Vous veillerez à marquer un temps d'arrêt à la césure de chacun des alexandrins (vers de 12 syllabes): c'est-à-dire après la 6e syllabe accentuée.

- Vous marquerez également un temps d'arrêt à la fin de chaque vers (l'entrevers), comme la ponctuation vous y invite, pour bien faire entendre les sonorités des rimes.

- Au sixième vers, pensez à prononcer correctement le mot « violon » en trois syllabes: vi / o / lon (diérèse).

Analyse du texte

■ Introduction rédigée

La thématique principale d'« Harmonie du soir » est celle du souvenir lié à l'amour. Ce poème se présente comme une variation continue sur le motif du crépuscule; sa tonalité est donc ouvertement mélancolique. On distingue comme une progression de la strophe initiale, qui met en place les acteurs d'une « valse » langoureuse (fleur, sons, parfums, v. 2 et 3), à la strophe finale, qui évoque la mort d'où surgit le souvenir. Mais cette progression est moins de l'ordre du déroulement linéaire que du tournoiement en spirale fondé sur des mécanismes de répétitions:

reprise de vers à intervalles réguliers, effet de vertige lié à l'insistance des timbres à la rime, reprise des sons à l'intérieur des vers eux-mêmes. Tout concourt ainsi à susciter une impression de mouvement musical lancinant, comparable à une valse de sons et d'images.

■ *Analyse guidée*

I. Le mouvement de la mélancolie

a. Les mots appartenant au champ lexical du mouvement sont nombreux dans les deux premiers quatrains. Relevez-les et comparez-les avec le lexique qui domine à la fin du poème.

b. L'effet de mouvement est également produit par les différents rapports établis entre la phrase et le vers. Étudiez ces rapports dans l'ensemble du poème en isolant les phrases qui sont moulées dans un seul vers ; dites ensuite quelles remarques vous inspire ce relevé.

c. Le réseau des images qui ordonnent ce poème installe et renforce la tonalité mélancolique. Analysez la façon dont s'organise ce réseau et l'effet qui en résulte.

II. Les mécanismes de la reprise

a. Ce poème repose sur un éventail de rimes très restreint. Relevez-les et étudiez la disposition de ces rimes (embrassées, croisées ou suivies).

b. « Harmonie du soir » est structuré par un jeu savant de répétitions de strophe en strophe. Analysez ce mécanisme et montrez en quoi il est générateur de rythme.

c. Le tissu des sonorités participe également à la musicalité poétique du texte. Relevez et étudiez la façon dont se répartissent dans le poème les sonorités suivantes : [v] ; [s] ; [t] ; [f] ; [r].

III. Poésie et correspondance

a. Dans « Correspondances » (IV, p. 19) Baudelaire a instauré un système d'équivalences entre les sensations et les plans de la réalité. Dites dans quelle mesure « Harmonie du soir » est le prolongement et l'illustration de ce système.

b. Les images et les niveaux sensoriels (odorat, vue, ouïe…) communiquent, correspondent. Montrez comment se réalise ce jeu de la correspondance.

c. Les marques de personne sont quasiment absentes dans ce poème. Relevez-les et précisez comment vous pouvez interpréter la manifestation finale du «je» («moi») dans le vers 16.

■ **Conclusion rédigée**

Par des effets concertés de répétitions de lexique, de rimes, de vers, «Harmonie du soir» réalise pleinement le programme poétique de Baudelaire, qui est de créer une musique verbale comparable à une «magie suggestive». Les sons et les images suggèrent ou connotent un monde défunt, endeuillé et crépusculaire, qui est comme l'obsession d'un esprit mélancolique. Une correspondance s'établit dès lors entre l'âme du poète et les éléments de la nature; mais un autre jeu d'associations se tisse entre les sonorités et les phrases, entre les images et les sensations. Il rend possible l'évocation d'un souvenir qui revient de manière lancinante envahir la mémoire du poète: du soleil noyé dans le sang du couchant surgit la lumière du souvenir qui ne connaît pas de déclin.

Les trois questions de l'examinateur

Question 1. Des marques distinctives rattachent ce poème au genre de la poésie lyrique. Retrouvez-les. Vous pourriez par exemple partir des notations qui renvoient au thème de l'affectivité meurtrie et mélancolique et vous appuyer sur l'étude des adjectifs appréciatifs tels que «langoureux», «triste et beau».

Question 2. Dans «Harmonie du soir», la Nature est associée au divin. Montrez-le en étudiant le lexique religieux puis rapprochez ce texte d'autres poèmes du recueil où apparaît également la dimension sacrée de la Nature.

Question 3. Le mécanisme de reprise des vers apparente «Harmonie du soir» à un poème à forme fixe, le pantoum (voir la définition dans le glossaire, p. 266). Retrouvez d'autres formes poétiques souvent employées par Baudelaire dans *Les Fleurs du mal*.

LVIII
Chanson d'après-midi

Quoique tes sourcils méchants
Te donnent un air étrange
Qui n'est pas celui d'un ange,
Sorcière aux yeux alléchants,

5   Je t'adore, ô ma frivole,
Ma terrible passion !
Avec la dévotion
Du prêtre pour son idole.

Le désert et la forêt
10 Embaument tes tresses rudes,
Ta tête a les attitudes
De l'énigme et du secret.

Sur ta chair le parfum rôde
Comme autour d'un encensoir ;
15 Tu charmes comme le soir,
Nymphe ténébreuse et chaude.

Ah ! les philtres les plus forts
Ne valent pas ta paresse,
Et tu connais la caresse
20 Qui fait revivre les morts !

Tes hanches sont amoureuses
De ton dos et de tes seins,
Et tu ravis les coussins
Par tes poses langoureuses.

25   Quelquefois, pour apaiser
Ta rage mystérieuse,
Tu prodigues, sérieuse,
La morsure et le baiser ;

Tu me déchires, ma brune,
30   Avec un rire moqueur,
Et puis tu mets sur mon cœur
Ton œil doux comme la lune.

Sous tes souliers de satin,
Sous tes charmants pieds de soie,
35   Moi, je mets ma grande joie,
Mon génie et mon destin,

Mon âme par toi guérie,
Par toi, lumière et couleur !
Explosion de chaleur
40   Dans ma noire Sibérie !

LIX
Sisina [1]

Imaginez Diane [2] en galant équipage,
Parcourant les forêts ou battant les halliers,
Cheveux et gorge au vent, s'enivrant de tapage,
Superbe et défiant les meilleurs cavaliers !

---

1. **Sisina** : allusion à Élisa Néri, actrice et amie de Mme Sabatier.
2. **Diane** : la déesse de la chasse.

5   Avez-vous vu Théroigne[1], amante du carnage,
    Excitant à l'assaut un peuple sans souliers,
    La joue et l'œil en feu, jouant son personnage,
    Et montant, sabre au poing, les royaux escaliers ?

    Telle la Sisina ! Mais la douce guerrière
10 À l'âme charitable autant que meurtrière ;
    Son courage, affolé de poudre et de tambours,

    Devant les suppliants sait mettre bas les armes,
    Et son cœur, ravagé par la flamme, a toujours,
    Pour qui s'en montre digne, un réservoir de larmes.

LX
Franciscæ meæ laudes[2]

    Novis te cantabo chordis,
    O novelletum quod ludis
    In solitudine cordis.

    Esto sertis implicata,
5   O femina delicata
    Per quam solvuntur peccata !

---

1. Théroigne : allusion à Théroigne de Méricourt, qui se distingua pendant l'épisode de la prise de la Bastille.
2. Franciscæ meæ laudes : louanges de ma Françoise. Voir la traduction de ce poème à la page 270.

> Sicut beneficum Lethe,
> Hauriam oscula de te,
> Quæ imbuta es magnete.

10 Quum vitiorum tempestas
> Turbabat omnes semitas,
> Apparuisti, Deitas,

> Velut stella salutaris
> In naufragiis amaris...
15 Suspendam cor tuis aris!

> Piscina plena virtutis,
> Fons æternæ juventutis,
> Labris vocem redde mutis!

> Quod erat spurcum, cremasti;
20 Quod rudius, exæquasti;
> Quod debile, confirmasti.

> In fame mea taberna,
> In nocte mea lucerna,
> Recte me semper guberna.

25 Adde nunc vires viribus,
> Dulce balneum suavibus
> Unguentatum odoribus!

> Meos circa lumbos mica,
> O castitatis lorica,
30 Aqua tincta seraphica;

> Patera gemmis corusca,
> Panis salsus, mollis esca,
> Divinum vinum, Francisca!

LXI
À une dame créole

Au pays parfumé que le soleil caresse,
J'ai connu, sous un dais d'arbres tout empourprés
Et de palmiers d'où pleut sur les yeux la paresse,
Une dame créole aux charmes ignorés.

5   Son teint est pâle et chaud ; la brune enchanteresse
A dans le cou des airs noblement maniérés ;
Grande et svelte en marchant comme une chasseresse,
Son sourire est tranquille et ses yeux assurés.

Si vous alliez, Madame, au vrai pays de gloire,
10   Sur les bords de la Seine ou de la verte Loire,
Belle digne d'orner les antiques manoirs,

Vous feriez, à l'abri des ombreuses retraites,
Germer mille sonnets dans le cœur des poètes,
Que vos grands yeux rendraient plus soumis que vos noirs.

LXII
Mœsta et errabunda[1]

Dis-moi, ton cœur parfois s'envole-t-il, Agathe,
Loin du noir océan de l'immonde cité,
Vers un autre océan où la splendeur éclate,
Bleu, clair, profond, ainsi que la virginité ?
5 Dis-moi, ton cœur parfois s'envole-t-il, Agathe ?

La mer, la vaste mer, console nos labeurs !
Quel démon a doté la mer, rauque chanteuse
Qu'accompagne l'immense orgue des vents grondeurs,
De cette fonction sublime de berceuse ?
10 La mer, la vaste mer, console nos labeurs !

Emporte-moi, wagon ! enlève-moi, frégate !
Loin ! loin ! ici la boue est faite de nos pleurs !
– Est-il vrai que parfois le triste cœur d'Agathe
Dise : Loin des remords, des crimes, des douleurs,
15 Emporte-moi, wagon, enlève-moi, frégate ?

Comme vous êtes loin, paradis parfumé,
Où sous un clair azur tout n'est qu'amour et joie,
Où tout ce que l'on aime est digne d'être aimé
Où dans la volupté pure le cœur se noie !
20 Comme vous êtes loin, paradis parfumé !

Mais le vert paradis des amours enfantines,
Les courses, les chansons, les baisers, les bouquets,
Les violons vibrant derrière les collines,
Avec les brocs de vin, le soir, dans les bosquets,
25 – Mais le vert paradis des amours enfantines,

---

1. **Mœsta et errabunda** : triste et vagabonde.

L'innocent paradis, plein de plaisirs furtifs,
Est-il déjà plus loin que l'Inde et que la Chine ?
Peut-on le rappeler avec des cris plaintifs,
Et l'animer encor d'une voix argentine,
30   L'innocent paradis plein de plaisirs furtifs ?

LXIII
Le revenant

Comme les anges à l'œil fauve,
Je reviendrai dans ton alcôve
Et vers toi glisserai sans bruit
Avec les ombres de la nuit ;

5   Et je te donnerai, ma brune,
Des baisers froids comme la lune
Et des caresses de serpent
Autour d'une fosse rampant.

Quand viendra le matin livide,
10   Tu trouveras ma place vide,
Où jusqu'au soir il fera froid.

Comme d'autres par la tendresse,
Sur ta vie et sur ta jeunesse,
Moi, je veux régner par l'effroi.

LXIV
Sonnet d'automne

Ils me disent, tes yeux, clairs comme le cristal :
« Pour toi, bizarre amant, quel est donc mon mérite ? »
– Sois charmante et tais-toi ! Mon cœur, que tout irrite,
Excepté la candeur de l'antique animal,

5 Ne veut pas te montrer son secret infernal,
Berceuse dont la main aux longs sommeils m'invite,
Ni sa noire légende avec la flamme écrite.
Je hais la passion et l'esprit me fait mal !

Aimons-nous doucement. L'Amour dans sa guérite,
10 Ténébreux, embusqué, bande son arc fatal.
Je connais les engins de son vieil arsenal :

Crime, horreur et folie ! – Ô pâle marguerite !
Comme moi n'es-tu pas un soleil automnal,
Ô ma si blanche, ô ma si froide Marguerite ?

LXV
Tristesses de la lune

Ce soir, la lune rêve avec plus de paresse ;
Ainsi qu'une beauté, sur de nombreux coussins,
Qui d'une main distraite et légère caresse
Avant de s'endormir le contour de ses seins,

5   Sur le dos satiné des molles avalanches,
Mourante, elle se livre aux longues pâmoisons,
Et promène ses yeux sur les visions blanches
Qui montent dans l'azur comme des floraisons.

Quand parfois sur ce globe, en sa langueur oisive,
10   Elle laisse filer une larme furtive,
Un poète pieux, ennemi du sommeil,

Dans le creux de sa main prend cette larme pâle,
Aux reflets irisés comme un fragment d'opale,
Et la met dans son cœur loin des yeux du soleil.

LXVI
Les chats

Les amoureux fervents et les savants austères
Aiment également, dans leur mûre saison,
Les chats puissants et doux, orgueil de la maison,
Qui comme eux sont frileux et comme eux sédentaires.

5   Amis de la science et de la volupté,
Ils cherchent le silence et l'horreur des ténèbres;
L'Érèbe [1] les eût pris pour ses coursiers [2] funèbres,
S'ils pouvaient au servage incliner leur fierté.

---

1. L'Érèbe: les ténèbres des Enfers, dans la mythologie grecque.
2. Coursiers: terme noble et poétique pour «chevaux».

Ils prennent en songeant les nobles attitudes
10 Des grands sphinx allongés au fond des solitudes,
Qui semblent s'endormir dans un rêve sans fin ;

Leurs reins féconds sont pleins d'étincelles magiques,
Et des parcelles d'or, ainsi qu'un sable fin,
Étoilent vaguement leurs prunelles mystiques.

LXVII
Les hiboux

Sous les ifs noirs qui les abritent,
Les hiboux se tiennent rangés,
Ainsi que des dieux étrangers,
Dardant leur œil rouge. Ils méditent.

5 Sans remuer ils se tiendront
Jusqu'à l'heure mélancolique
Où, poussant le soleil oblique,
Les ténèbres s'établiront.

Leur attitude au sage enseigne
10 Qu'il faut en ce monde qu'il craigne
Le tumulte et le mouvement ;

L'homme ivre d'une ombre qui passe
Porte toujours le châtiment
D'avoir voulu changer de place.

LXVIII
La pipe

Je suis la pipe d'un auteur ;
On voit, à contempler ma mine
D'Abyssinienne ou de Cafrine[1],
Que mon maître est un grand fumeur.

5   Quand il est comblé de douleur,
Je fume comme la chaumine[2]
Où se prépare la cuisine
Pour le retour du laboureur.

J'enlace et je berce son âme
10 Dans le réseau mobile et bleu
Qui monte de ma bouche en feu,

Et je roule un puissant dictame[3]
Qui charme son cœur et guérit
De ses fatigues son esprit.

---

1. **Cafrine** : originaire de Cafrerie, région du sud de l'Afrique.
2. **Chaumine** : chaumière.
3. **Dictame** : plante médicinale apaisante ; baume moral, au sens figuré.

LXIX
La musique

La musique souvent me prend comme une mer !
       Vers ma pâle étoile,
Sous un plafond de brume ou dans un vaste éther,
       Je mets à la voile ;

5   La poitrine en avant et les poumons gonflés
       Comme de la toile,
J'escalade le dos des flots amoncelés
       Que la nuit me voile ;

Je sens vibrer en moi toutes les passions
10   D'un vaisseau qui souffre ;
Le bon vent, la tempête et ses convulsions

       Sur l'immense gouffre
Me bercent. D'autres fois, calme plat, grand miroir
       De mon désespoir !

LXX
Sépulture

Si par une nuit lourde et sombre
Un bon chrétien, par charité,
Derrière quelque vieux décombre
Enterre votre corps vanté,

5   À l'heure où les chastes étoiles
Ferment leurs yeux appesantis,
L'araignée y fera ses toiles,
Et la vipère ses petits ;

Vous entendrez toute l'année
10 Sur votre tête condamnée
Les cris lamentables des loups

Et des sorcières faméliques,
Les ébats des vieillards lubriques
Et les complots des noirs filous.

LXXI
Une gravure fantastique[1]

Ce spectre singulier n'a pour toute toilette,
Grotesquement campé sur son front de squelette,
Qu'un diadème affreux sentant le carnaval.
Sans éperons, sans fouet, il essoufle un cheval,
5   Fantôme comme lui, rosse apocalyptique,
Qui bave des naseaux comme un épileptique.
Au travers de l'espace ils s'enfoncent tous deux,
Et foulent l'infini d'un sabot hasardeux.

---

1. Gravure fantastique : Baudelaire s'inspire d'un dessin de John Hamilton Mortimer (1740-1779) gravé par J. Haynes (1760-1829), illustrant un passage de l'Apocalypse.

Le cavalier promène un sabre qui flamboie
10   Sur les foules sans nom que sa monture broie,
Et parcourt, comme un prince inspectant sa maison,
Le cimetière immense et froid, sans horizon,
Où gisent, aux lueurs d'un soleil blanc et terne,
Les peuples de l'histoire ancienne et moderne.

LXXII
Le mort joyeux

Dans une terre grasse et pleine d'escargots
Je veux creuser moi-même une fosse profonde,
Où je puisse à loisir étaler mes vieux os
Et dormir dans l'oubli comme un requin dans l'onde.

5   Je hais les testaments et je hais les tombeaux ;
Plutôt que d'implorer une larme du monde,
Vivant, j'aimerais mieux inviter les corbeaux
À saigner tous les bouts de ma carcasse immonde.

Ô vers ! noirs compagnons sans oreille et sans yeux,
10   Voyez venir à vous un mort libre et joyeux ;
Philosophes viveurs, fils de la pourriture,

À travers ma ruine allez donc sans remords,
Et dites-moi s'il est encor quelque torture
Pour ce vieux corps sans âme et mort parmi les morts !

LXXIII
Le tonneau de la haine

La Haine est le tonneau des pâles Danaïdes[1] ;
La Vengeance éperdue aux bras rouges et forts
A beau précipiter dans ses ténèbres vides
De grands seaux pleins du sang et des larmes des morts,

5 Le Démon fait des trous secrets à ces abîmes,
Par où fuiraient mille ans de sueurs et d'efforts,
Quand même elle saurait ranimer ses victimes,
Et pour les pressurer ressusciter leurs corps.

La Haine est un ivrogne au fond d'une taverne,
10 Qui sent toujours la soif naître de la liqueur
Et se multiplier comme l'hydre de Lerne[2].

– Mais les buveurs heureux connaissent leur vainqueur,
Et la Haine est vouée à ce sort lamentable
De ne pouvoir jamais s'endormir sous la table.

---

1. Danaïdes : pour avoir tué leurs époux sur ordre de leur père, les filles de Danaos furent condamnées à remplir éternellement d'eau des tonneaux sans fond.
2. L'hydre de Lerne : monstre dont les têtes multiples repoussaient sitôt tranchées. Hercule le terrassera.

LXXIV
La cloche fêlée

Il est amer et doux, pendant les nuits d'hiver,
D'écouter, près du feu qui palpite et qui fume,
Les souvenirs lointains lentement s'élever
Au bruit des carillons qui chantent dans la brume.

5   Bienheureuse la cloche au gosier vigoureux
Qui, malgré sa vieillesse, alerte et bien portante,
Jette fidèlement son cri religieux,
Ainsi qu'un vieux soldat qui veille sous la tente !

Moi, mon âme est fêlée, et lorsqu'en ses ennuis
10 Elle veut de ses chants peupler l'air froid des nuits,
Il arrive souvent que sa voix affaiblie

Semble le râle épais d'un blessé qu'on oublie
Au bord d'un lac de sang, sous un grand tas de morts,
Et qui meurt, sans bouger, dans d'immenses efforts.

LXXV
Spleen

Pluviôse[1], irrité contre la ville entière,
De son urne à grands flots verse un froid ténébreux
Aux pâles habitants du voisin cimetière
Et la mortalité sur les faubourgs brumeux.

5   Mon chat sur le carreau cherchant une litière
Agite sans repos son corps maigre et galeux;
L'âme d'un vieux poète erre dans la gouttière
Avec la triste voix d'un fantôme frileux.

Le bourdon[2] se lamente, et la bûche enfumée
10 Accompagne en fausset la pendule enrhumée,
Cependant qu'en un jeu plein de sales parfums,

Héritage fatal d'une vieille hydropique[3],
Le beau valet de cœur et la dame de pique
Causent sinistrement de leurs amours défunts.

---

1. Pluviôse: cinquième mois du calendrier révolutionnaire (20 janvier-18 février).
2. Bourdon: grosse cloche à son grave.
3. Hydropique: victime d'hydropisie, c'est-à-dire d'une accumulation anormale de liquide dans l'abdomen.

LXXVI
Spleen

J'ai plus de souvenirs que si j'avais mille ans.

Un gros meuble à tiroirs encombré de bilans,
De vers, de billets doux, de procès, de romances,
Avec de lourds cheveux roulés dans des quittances,
5   Cache moins de secrets que mon triste cerveau.
C'est une pyramide, un immense caveau,
Qui contient plus de morts que la fosse commune.
– Je suis un cimetière abhorré de la lune,
Où comme des remords se traînent de longs vers
10   Qui s'acharnent toujours sur mes morts les plus chers.
Je suis un vieux boudoir plein de roses fanées,
Où gît tout un fouillis de modes surannées,
Où les pastels plaintifs et les pâles Boucher [1],
Seuls, respirent l'odeur d'un flacon débouché.

15   Rien n'égale en longueur les boiteuses journées,
Quand sous les lourds flocons des neigeuses années
L'ennui, fruit de la morne incuriosité,
Prend les proportions de l'immortalité.
– Désormais tu n'es plus, ô matière vivante !
20   Qu'un granit entouré d'une vague épouvante,
Assoupi dans le fond d'un Saharah brumeux ;
Un vieux sphinx ignoré du monde insoucieux,
Oublié sur la carte, et dont l'humeur farouche
Ne chante qu'aux rayons du soleil qui se couche [2].

---

1. Boucher : peintre français du XVIIIe siècle (1703-1770), qui s'illustra dans le genre des scènes galantes.
2. Contrairement donc à la statue de Memnon, en Égypte, qui « chante » aux premiers rayons du soleil levant...

LXXVII
Spleen

Je suis comme le roi d'un pays pluvieux,
Riche, mais impuissant, jeune et pourtant très vieux,
Qui, de ses précepteurs méprisant les courbettes,
S'ennuie avec ses chiens comme avec d'autres bêtes.
5 Rien ne peut l'égayer, ni gibier, ni faucon,
Ni son peuple mourant en face du balcon.
Du bouffon favori la grotesque ballade
Ne distrait plus le front de ce cruel malade;
Son lit fleurdelisé[1] se transforme en tombeau,
10 Et les dames d'atour[2], pour qui tout prince est beau,
Ne savent plus trouver d'impudique toilette
Pour tirer un souris de ce jeune squelette.
Le savant qui lui fait de l'or n'a jamais pu
De son être extirper l'élément corrompu,
15 Et dans ces bains de sang qui des Romains nous viennent,
Et dont sur leurs vieux jours les puissants se souviennent,
Il n'a su réchauffer ce cadavre hébété
Où coule au lieu de sang l'eau verte du Léthé[3].

---

1. Fleurdalisé : orné de fleurs de lys.
2. Dames d'atour : dames d'honneur qui veillent à la toilette d'une princesse ou d'une reine.
3. Léthé : un des fleuves des Enfers, dont les eaux apportent l'oubli aux âmes des défunts.

LXXVIII
Spleen

impression d'être enfermé.

Quand le ciel bas et lourd pèse comme un couvercle
Sur l'esprit gémissant en proie aux longs ennuis, · *ennuis*
Et que de l'horizon embrassant tout le cercle
Il nous verse un jour noir plus triste que les nuits ; · *tristesse*

5   Quand la terre est changée en un cachot humide,
Où l'Espérance, comme une chauve-souris, → *elle s'envole et*
S'en va battant les murs de son aile timide → *se heurte aux*
Et se cognant la tête à des plafonds pourris ; → *parois des murs.*

Quand la pluie étalant ses immenses traînées
10   D'une vaste prison imite les barreaux,
Et qu'un peuple muet d'infâmes araignées
Vient tendre ses filets au fond de nos cerveaux,

Des cloches tout à coup sautent avec furie
Et lancent vers le ciel un affreux hurlement,
15   Ainsi que des esprits errants et sans patrie
Qui se mettent à geindre opiniâtrement. · *plainte*

– Et de longs corbillards, sans tambours ni musique,
Défilent lentement dans mon âme ; l'Espoir,
Vaincu, pleure, et l'Angoisse atroce, despotique, · *pas d'espoir*
20   Sur mon crâne incliné plante son drapeau noir. *car vaincue par*

l'Angoisse.

LXXIX
Obsession

Grands bois, vous m'effrayez comme des cathédrales ;
Vous hurlez comme l'orgue ; et dans nos cœurs maudits,
Chambres d'éternel deuil où vibrent de vieux râles,
Répondent les échos de vos *De profundis*[1].

5 Je te hais, Océan ! tes bonds et tes tumultes,
Mon esprit les retrouve en lui ; ce rire amer
De l'homme vaincu, plein de sanglots et d'insultes,
Je l'entends dans le rire énorme de la mer.

Comme tu me plairais, ô nuit ! sans ces étoiles
10 Dont la lumière parle un langage connu !
Car je cherche le vide, et le noir, et le nu !

Mais les ténèbres sont elles-mêmes des toiles
Où vivent, jaillissant de mon œil par milliers,
Des êtres disparus aux regards familiers.

---

1. *De profundis* : « du fond de l'abîme » (premiers mots d'un psaume chanté pour les défunts).

LXXX
Le goût du néant

Morne esprit, autrefois amoureux de la lutte,
L'Espoir, dont l'éperon attisait ton ardeur,
Ne veut plus t'enfourcher ! Couche-toi sans pudeur,
Vieux cheval dont le pied à chaque obstacle bute.

5   Résigne-toi, mon cœur ; dors ton sommeil de brute.

Esprit vaincu, fourbu ! Pour toi, vieux maraudeur,
L'amour n'a plus de goût, non plus que la dispute ;
Adieu donc, chants du cuivre et soupirs de la flûte !
Plaisirs, ne tentez plus un cœur sombre et boudeur !

10   Le Printemps adorable a perdu son odeur !

Et le Temps m'engloutit minute par minute,
Comme la neige immense un corps pris de roideur ;
Je contemple d'en haut le globe en sa rondeur
Et je n'y cherche plus l'abri d'une cahute.

15   Avalanche, veux-tu m'emporter dans ta chute ?

LXXXI
Alchimie de la douleur

L'un t'éclaire avec son ardeur,
L'autre en toi met son deuil, Nature!
Ce qui dit à l'un: Sépulture!
Dit à l'autre: Vie et splendeur!

5   Hermès[1] inconnu qui m'assistes
Et qui toujours m'intimidas,
Tu me rends l'égal de Midas[2],
Le plus triste des alchimistes;

Par toi je change l'or en fer
10   Et le paradis en enfer;
Dans le suaire des nuages

Je découvre un cadavre cher,
Et sur les célestes rivages
Je bâtis de grands sarcophages.

---

1. Hermès: dieu des magiciens et des alchimistes.
2. Midas: roi de Phrygie qui avait le don de transformer en or tout ce qu'il touchait. Ne pouvant plus s'alimenter de nourriture et s'abreuver d'eau, il mourut de faim et de soif.

LXXXII
Horreur sympathique

De ce ciel bizarre et livide,
Tourmenté comme ton destin,
Quels pensers dans ton âme vide
Descendent ? réponds, libertin.

5   – Insatiablement avide
De l'obscur et de l'incertain,
Je ne geindrai pas comme Ovide[1]
Chassé du paradis latin.

Cieux déchirés comme des grèves,
10   En vous se mire mon orgueil ;
Vos vastes nuages en deuil

Sont les corbillards de mes rêves,
Et vos lueurs sont le reflet
De l'Enfer où mon cœur se plaît.

---

1. Ovide : poète latin (43 av. J.-C. - 16 ap. J.-C.) qui fut exilé chez les Scythes et écrivit *Les Tristes*.

LXXXIII
L'héautontimorouménos[1]

À J. G. F.

Je te frapperai sans colère
Et sans haine, comme un boucher,
Comme Moïse[2] le rocher!
Et je ferai de ta paupière,

5   Pour abreuver mon Saharah,
Jaillir les eaux de la souffrance.
Mon désir gonflé d'espérance
Sur tes pleurs salés nagera

Comme un vaisseau qui prend le large,
10   Et dans mon cœur qu'ils soûleront
Tes chers sanglots retentiront
Comme un tambour qui bat la charge!

Ne suis-je pas un faux accord
Dans la divine symphonie,
15   Grâce à la vorace Ironie
Qui me secoue et qui me mord?

Elle est dans ma voix, la criarde!
C'est tout mon sang, ce poison noir!
Je suis le sinistre miroir
20   Où la mégère se regarde!

---

1. **L'Héautontimorouménos**: littéralement « celui qui se châtie lui-même ». C'est le titre d'une comédie de Térence, poète latin du IIᵉ siècle av. J.-C.
2. **Moïse**: allusion à l'Exode (XVII, 5-7), Moïse frappant de son bâton un rocher et faisant sourdre la source qui désaltérera le peuple d'Israël.

Je suis la plaie et le couteau !
Je suis le soufflet et la joue !
Je suis les membres et la roue[1],
Et la victime et le bourreau !

25 Je suis de mon cœur le vampire,
    – Un de ces grands abandonnés
    Au rire éternel condamnés,
    Et qui ne peuvent plus sourire !

LXXXIV
L'irrémédiable

I

Une Idée, une Forme, un Être
Parti de l'azur et tombé
Dans un Styx[2] bourbeux et plombé
Où nul œil du Ciel ne pénètre ;

5 Un Ange, imprudent voyageur
   Qu'a tenté l'amour du difforme,
   Au fond d'un cauchemar énorme
   Se débattant comme un nageur,

---

1. **Roue** : il s'agit de la roue du supplice, qui brise les membres des condamnés.
2. **Styx** : l'un des fleuves des Enfers, dans la mythologie grecque.

Et luttant, angoisses funèbres !
10   Contre un gigantesque remous
Qui va chantant comme les fous
Et pirouettant dans les ténèbres ;

Un malheureux ensorcelé
Dans ses tâtonnements futiles,
15   Pour fuir d'un lieu plein de reptiles,
Cherchant la lumière et la clé ;

Un damné descendant sans lampe,
Au bord d'un gouffre dont l'odeur
Trahit l'humide profondeur,
20   D'éternels escaliers sans rampe,

Où veillent des monstres visqueux
Dont les larges yeux de phosphore
Font une nuit plus noire encore
Et ne rendent visibles qu'eux ;

25   Un navire pris dans le pôle,
Comme en un piège de cristal,
Cherchant par quel détroit fatal
Il est tombé dans cette geôle ;

    – Emblèmes nets, tableau parfait
30   D'une fortune irrémédiable,
Qui donne à penser que le Diable
Fait toujours bien tout ce qu'il fait !

II

Tête-à-tête sombre et limpide
Qu'un cœur devenu son miroir !
35   Puits de Vérité, clair et noir,
Où tremble une étoile livide,

Un phare ironique, infernal,
Flambeau des grâces sataniques,
Soulagement et gloire uniques,
40   – La conscience dans le Mal !

LXXXV
L'horloge

Horloge ! dieu sinistre, effrayant, impassible,
Dont le doigt nous menace et nous dit : « *Souviens-toi !*
Les vibrantes Douleurs dans ton cœur plein d'effroi
Se planteront bientôt comme dans une cible ;

5   Le Plaisir vaporeux fuira vers l'horizon
Ainsi qu'une sylphide[1] au fond de la coulisse ;
Chaque instant te dévore un morceau du délice
À chaque homme accordé pour toute sa saison.

---

1. Sylphide : génie féminin des airs.

Trois mille six cents fois par heure, la Seconde
10   Chuchote : *Souviens-toi !* – Rapide, avec sa voix
D'insecte, Maintenant dit : Je suis Autrefois,
Et j'ai pompé ta vie avec ma trompe immonde !

Remember ! Souviens-toi ! prodigue ! *Esto memor !*[1]
(Mon gosier de métal parle toutes les langues.)
15   Les minutes, mortel folâtre, sont des gangues[2]
Qu'il ne faut pas lâcher sans en extraire l'or !

Souviens-toi que le Temps est un joueur avide
Qui gagne sans tricher, à tout coup ! c'est la loi.
Le jour décroît ; la nuit augmente ; *souviens-toi !*
20   Le gouffre a toujours soif ; la clepsydre[3] se vide.

Tantôt sonnera l'heure où le divin Hasard,
Où l'auguste Vertu, ton épouse encor vierge,
Où le Repentir même (oh ! la dernière auberge !),
Où tout te dira : Meurs, vieux lâche ! il est trop tard ! »

---

1. **Remember... Esto memor** : équivalents anglais et latin de « souviens-toi ».
2. **Gangues** : enveloppes rocheuses des pierres précieuses et des minerais.
3. **Clepsydre** : horloge à eau.

Arrêt sur lecture 2

Pour comprendre l'essentiel

La montée du spleen

1 Le mot «spleen», emprunté à la langue anglaise, désigne très tôt un état de tristesse incurable, un sentiment d'ennui profond, qui devient, à l'époque romantique, le «mal du siècle». Relevez les manifestations les plus frappantes du spleen dans les poèmes que vous venez de lire.

2 De «La chanson d'après-midi» (LVIII, p. 91) à «La cloche fêlée» (LXXIV, p. 106), l'ascension du spleen semble irrésistible. Mettez en évidence cette gradation en relevant, par exemple, les mots et expressions appartenant au champ lexical de la douleur, de l'ennui et de la mort.

3 La mélancolie baudelairienne repose sur l'expérience existentielle de l'ennui et le sentiment d'un vide sans solution. Relevez et analysez les indices essentiels de cette mélancolie dans les quatre poèmes successifs intitulés «Spleen» (p. 107 à 110).

L'exigence de la forme poétique

4 Baudelaire utilise certaines formes poétiques fixes, comme le sonnet. Faites un rapide inventaire des différents types de sonnet rencontrés dans cette partie du recueil: en vous appuyant sur la longueur des vers et sur les rimes notamment, vous en montrerez la variété.

❺ Les mots placés à la rime sont le plus souvent dotés d'une signification riche. Étudiez la disposition des rimes dans « Les chats » (LXVI, p. 99) et montrez qu'elles soulignent la thématique du poème.

❻ Le poème intitulé « Une gravure fantastique » (LXXI), p. 103) est inspiré d'un dessin gravé. Qu'est-ce qui, selon vous, justifie l'emploi de l'épithète « fantastique » dans le titre de ce poème ?

La victime et le bourreau

❼ Le titre « L'héautontimorouménos » (LXXXIII, p. 115) signifie : « celui qui se venge sur soi-même ». En vous appuyant sur la distribution des pronoms personnels, montrez que ce poème est le poème de la conscience double.

❽ L'enlisement dans le mal engendre une conscience de soi douloureuse. Expliquez, dans ce contexte, l'expression « vorace Ironie » du vers 15.

❾ Le poète apparaît comme un être déchiré, soumis à la torture de la dualité. En analysant notamment le jeu des antithèses, montrez comment se manifeste ce déchirement dans « Alchimie de la douleur » (LXXXI, p. 113).

Rappelez-vous !

• Le traitement des motifs du spleen n'entraîne pas dans la poésie de Baudelaire des épanchements de douleur, des lamentations, un flux incontrôlable des émotions. Le « moi » tout au contraire tend même à s'effacer comme dans les poèmes « Spleen » (p. 107 à 110) : on a parlé à leur propos de **« lyrisme dépersonnalisé »** dans la mesure où les sentiments du locuteur se trouvent projetés et matérialisés en des objets extérieurs, métaphores ou symboles de son affectivité. En cela *Les Fleurs du mal* marquent une rupture avec le romantisme.

• L'**exigence de la forme poétique** est capitale pour Baudelaire : est poète à ses yeux celui qui sait ordonner en une composition savante, et en vue d'un effet précis, ses émotions et ses sentiments. C'est pourquoi la forme fixe et contrainte du **sonnet** est très souvent utilisée.

Vers l'oral du bac

Analyse du poème LXXXV, « L'horloge », p. 118

☞ Étudier la manière dont se dramatise le thème du temps dans ce poème

Conseils pour la lecture à voix haute

– Vous veillerez à marquer un certain nombre d'effets de soulignement ou d'accentuation délibérément indiqués par un système graphique très efficace. Par exemple, les mentions en italiques, les exclamations, l'usage de la majuscule pour des noms communs (Douleurs, Plaisir, Maintenant, Autrefois, Temps...).

– N'oubliez pas en outre que la quasi-totalité de ce poème contient le discours de l'Horloge, comme le précise le verbe déclaratif « dit » (v. 2) et l'emploi des guillemets (v. 2 et v. 24). Il y a donc une composante orale et oratoire dans le déroulement du texte, qu'il importe de ne pas négliger.

Analyse du texte

■ *Introduction rédigée*

Le poème « L'horloge » clôt la section « Spleen et Idéal » sur une note ouvertement désespérée. Le texte marque le point d'orgue de la ligne thématique obsédante consacrée au Temps, ce monstre, cet ennemi qui ronge le poète en lui inspirant angoisse et tourment. Les caractéristiques majeures de ce thème essentiel sont ici réorchestrées, dans un poème qui est discours, parole vive : les procédés d'intensification et de dramatisation sont nombreux et visent à traduire une hantise subjective destinée à acquérir une valeur universelle. Loin de se résumer à l'expression d'une vicissitude personnelle, le poème énonce les obsessions fondamentales attachées au tragique de la condition de l'homme.

L'analyse se concentrera d'abord sur les moyens rhétoriques de la dramatisation; elle mettra en lumière ensuite le mécanisme d'élargissement du thème et sa résonance tragique.

■ *Analyse guidée*

I. Le discours dramatisé de l'horloge

a. Le Temps est l'objet d'une personnification, ainsi d'ailleurs que les Douleurs ou le Plaisir. Relevez les diverses marques de la personnification dans ce texte.

b. Le Temps parle: ce procédé, qui consiste à prêter la parole à des êtres inanimés ou des abstractions, s'appelle la prosopopée. Analysez le discours du Temps dans sa composition et sa progression.

c. Le poème est une sorte de compte à rebours. Montrez par quels procédés Baudelaire dramatise l'écoulement des heures.

II. Une leçon universelle et tragique

a. Le discours du Temps est adressé à un auditoire. Repérez les marques de personne présentes dans ce texte et relevez celles qui vous semblent dotées d'une portée universelle.

b. Le Temps parle le français, l'anglais, le latin. Expliquez comment vous interprétez le choix et l'usage de ces différentes langues.

c. Le Temps apparaît comme l'image animée du destin. Montrez comment, dans les deux derniers quatrains, sont orchestrés les motifs de la fatalité.

■ *Conclusion rédigée*

Par les moyens rhétoriques mis en œuvre, ce poème avoue sa vocation morale et métaphysique. Comme le poème «Au lecteur», qui ouvre le recueil, il s'adresse à l'Humanité en vue de l'éclairer sur le désastre de l'existence soumise au temps. De là une poétique de l'effet, qui doit surprendre le lecteur, l'inquiéter, le troubler, voire l'effrayer. Mais ce poème répond également à la principale question de «Spleen et idéal»: comment atteindre l'infini, comment échapper à la pesanteur de la durée? Toutes les velléités d'évasion, tous les projets de reconquête de l'amour et de bonheur semblent voués à l'échec. Sombre conclusion, dont le refrain entêtant «Souviens-toi!» n'est pas sans évoquer la formule «Nevermore»

(« jamais plus ») employée par Edgar Poe dans son poème « Le Corbeau », que Baudelaire connaissait bien puisqu'il avait traduit une partie de son œuvre.

Les trois questions de l'examinateur

Question 1. « L'horloge » ne se résume pas à un bilan : le poème ouvre une perspective qui s'étend des « Tableaux parisiens » à la section « La mort » : un trajet du négatif, qui signe le triomphe du temps et de ses ravages. Montrez-le en vous appuyant par exemple sur « Les petites vieilles » (XCI, p. 135) ou « Danse macabre » (XCVII, p. 145) et sur « La mort des artistes » (CXXIII, p. 200).

Question 2. Divers procédés de personnification permettent de présenter une valeur ou une idée abstraite sous les traits, même à peine esquissés, d'un être humain (emploi de la majuscule, sémantisme des verbes, choix des métaphores...). Explicitez les fonctions de l'allégorie dans *Les Fleurs du mal* en vous appuyant en particulier sur « La beauté » (XVII, p. 34) et « Hymne à la Beauté » (XXI, p. 38). Vous pouvez aussi vous reporter aux deux poèmes de la section « Tableaux parisiens », « Le cygne » (LXXXIX, p. 130) et « Les aveugles » (XCII, p. 139), ou encore au poème de la section « Fleurs du mal » intitulé « Allégorie » (CXIV, p. 177).

Question 3. Les poètes de la Pléiade comme Ronsard et Du Bellay, les poètes romantiques, tels que Lamartine et Hugo, ont accordé, avant Baudelaire, une large place au thème du temps. Qu'est-ce qui distingue l'auteur des *Fleurs du mal* de ses prédécesseurs ? (Pour répondre à la question, vous pouvez vous appuyer sur les poèmes cités dans le groupement de textes « Le thème du Temps : entre mémoire et angoisse » (p. 245)

TABLEAUX PARISIENS

LXXXVI
Paysage

Je veux, pour composer chastement mes églogues[1],
Coucher auprès du ciel, comme les astrologues,
Et, voisin des clochers, écouter en rêvant
Leurs hymnes solennels emportés par le vent.
5 Les deux mains au menton, du haut de ma mansarde,
Je verrai l'atelier, qui chante et qui bavarde ;
Les tuyaux, les clochers, ces mâts de la cité,
Et les grands ciels qui font rêver d'éternité.

Il est doux, à travers les brumes, de voir naître
10 L'étoile dans l'azur, la lampe à la fenêtre,
Les fleuves de charbon monter au firmament
Et la lune verser son pâle enchantement.
Je verrai les printemps, les étés, les automnes ;
Et quand viendra l'hiver aux neiges monotones,
15 Je fermerai partout portières et volets
Pour bâtir dans la nuit mes féeriques palais.
Alors je rêverai des horizons bleuâtres,
Des jardins, des jets d'eau pleurant dans les albâtres[2],
Des baisers, des oiseaux chantant soir et matin,
20 Et tout ce que l'Idylle[3] a de plus enfantin.
L'Émeute, tempêtant vainement à ma vitre,
Ne fera pas lever mon front de mon pupitre ;

---

1. **Églogue** : petit poème pastoral, dans la tradition poétique latine.
2. **Albâtres** : vasques en albâtre (pierre blanche et tendre).
3. **L'Idylle** : petit poème d'amour du genre bucolique.

Car je serai plongé dans cette volupté
D'évoquer le Printemps avec ma volonté,
25 De tirer un soleil de mon cœur, et de faire
De mes pensers brûlants une tiède atmosphère.

LXXXVII
Le soleil

Le long du vieux faubourg, où pendent aux masures
Les persiennes, abri des secrètes luxures,
Quand le soleil cruel frappe à traits redoublés
Sur la ville et les champs, sur les toits et les blés,
5 Je vais m'exercer seul à ma fantasque escrime,
Flairant dans tous les coins les hasards de la rime,
Trébuchant sur les mots comme sur les pavés,
Heurtant parfois des vers depuis longtemps rêvés.

Ce père nourricier, ennemi des chloroses,
10 Éveille dans les champs les vers comme les roses ;
Il fait s'évaporer les soucis vers le ciel,
Et remplit les cerveaux et les ruches de miel.
C'est lui qui rajeunit les porteurs de béquilles
Et les rend gais et doux comme des jeunes filles,
15 Et commande aux moissons de croître et de mûrir
Dans le cœur immortel qui toujours veut fleurir !

Quand, ainsi qu'un poète, il descend dans les villes,
Il ennoblit le sort des choses les plus viles,
Et s'introduit en roi, sans bruit et sans valets,
20 Dans tous les hôpitaux et dans tous les palais.

LXXXVIII
À une mendiante rousse

Blanche fille aux cheveux roux,
Dont la robe par ses trous
Laisse voir la pauvreté
    Et la beauté,

5 Pour moi, poète chétif,
Ton jeune corps maladif,
Plein de taches de rousseur,
    A sa douceur.

Tu portes plus galamment
10 Qu'une reine de roman
Ses cothurnes[1] de velours
    Tes sabots lourds.

Au lieu d'un haillon trop court,
Qu'un superbe habit de cour
15 Traîne à plis bruyants et longs
    Sur tes talons;

En place de bas troués,
Que pour les yeux des roués[2]
Sur ta jambe un poignard d'or
20   Reluise encor;

---

1. Cothurnes: bottines montant jusqu'à mi-jambe et lacées par devant, chez les Grecs et les Romains.
2. Roués: ici, débauchés.

Que des nœuds mal attachés
Dévoilent pour nos péchés
Tes deux beaux seins, radieux
    Comme des yeux ;

25 Que pour te déshabiller
Tes bras se fassent prier
Et chassent à coups mutins
    Les doigts lutins,

Perles de la plus belle eau,
30 Sonnets de maître Belleau[1]
Par tes galants mis aux fers
    Sans cesse offerts,

Valetaille de rimeurs
Te dédiant leurs primeurs
35 Et contemplant ton soulier
    Sous l'escalier,

Maint page épris du hasard,
Maint seigneur et maint Ronsard[2]
Épieraient pour le déduit[3]
40   Ton frais réduit !

Tu compterais dans tes lits
Plus de baisers que de lis
Et rangerais sous tes lois
    Plus d'un Valois[4] !

---

1. **Belleau** : Rémi Belleau (1528-1577), poète français de La Pléiade.
2. **Ronsard** : Pierre de Ronsard (1524-1585), grand poète français de La Pléiade.
3. **Déduit** : mot vieilli pour « plaisir ».
4. **Valois** : branche des Capétiens qui régna sur la France de 1328 à 1589.

45   – Cependant tu vas gueusant[1]
       Quelque vieux débris gisant
       Au seuil de quelque Véfour[2]
           De carrefour ;

       Tu vas lorgnant en dessous
50   Des bijoux de vingt-neuf sous
       Dont je ne puis, oh ! pardon !
           Te faire don.

       Va donc, sans autre ornement,
       Parfum, perles, diamant,
55   Que ta maigre nudité,
           Ô ma beauté !

LXXXIX
Le cygne

à Victor Hugo.

I

Andromaque[3], je pense à vous ! Ce petit fleuve,
Pauvre et triste miroir où jadis resplendit
L'immense majesté de vos douleurs de veuve,
Ce Simoïs[4] menteur qui par vos pleurs grandit,

---

1. **Gueusant** : mendiant.
2. **Véfour** : nom d'un restaurant de luxe parisien.
3. **Andromaque** : veuve d'Hector, qui devint l'esclave de Pyrrhus après la prise de Troie. Baudelaire s'inspire ici du chant 3 de *L'Énéide* de Virgile.
4. **Simoïs** : fleuve troyen reconstitué par Andromaque durant son exil.

5 A fécondé soudain ma mémoire fertile,
Comme je traversais le nouveau Carrousel[1].
Le vieux Paris n'est plus (la forme d'une ville
Change plus vite, hélas! que le cœur d'un mortel);

Je ne vois qu'en esprit tout ce camp de baraques,
10 Ces tas de chapiteaux ébauchés et de fûts,
Les herbes, les gros blocs verdis par l'eau des flaques,
Et, brillant aux carreaux, le bric-à-brac confus.

Là s'étalait jadis une ménagerie;
Là je vis, un matin, à l'heure où sous les cieux
15 Froids et clairs le Travail s'éveille, où la voirie
Pousse un sombre ouragan dans l'air silencieux,

Un cygne qui s'était évadé de sa cage,
Et, de ses pieds palmés frottant le pavé sec,
Sur le sol raboteux traînait son blanc plumage.
20 Près d'un ruisseau sans eau la bête ouvrant le bec

Baignait nerveusement ses ailes dans la poudre,
Et disait, le cœur plein de son beau lac natal:
«Eau, quand donc pleuvras-tu? quand tonneras-tu, foudre?»
Je vois ce malheureux, mythe étrange et fatal,

25 Vers le ciel quelquefois, comme l'homme d'Ovide[2],
Vers le ciel ironique et cruellement bleu,
Sur son cou convulsif tendant sa tête avide,
Comme s'il adressait des reproches à Dieu!

---

1. Nouveau Carrousel: esplanade du Carrousel alors en travaux, du fait du plan de restructuration urbaine lancé par le baron Haussmann.
2. Ovide: allusion au Livre I des *Métamorphoses* d'Ovide: Dieu enjoint à l'homme de porter ses regards vers le ciel - contrairement aux animaux qui regardent le sol.

II

Paris change ! mais rien dans ma mélancolie
30 N'a bougé ! palais neufs, échafaudages, blocs,
Vieux faubourgs, tout pour moi devient allégorie,
Et mes chers souvenirs sont plus lourds que des rocs.

Aussi devant ce Louvre une image m'opprime :
Je pense à mon grand cygne, avec ses gestes fous,
35 Comme les exilés, ridicule et sublime,
Et rongé d'un désir sans trêve ! et puis à vous,

Andromaque, des bras d'un grand époux tombée,
Vil bétail, sous la main du superbe Pyrrhus,
Auprès d'un tombeau vide en extase courbée ;
40 Veuve d'Hector, hélas ! et femme d'Hélénus [1] !

Je pense à la négresse, amaigrie et phtisique [2],
Piétinant dans la boue, et cherchant, l'œil hagard,
Les cocotiers absents de la superbe Afrique
Derrière la muraille immense du brouillard ;

45 À quiconque a perdu ce qui ne se retrouve
Jamais, jamais ! à ceux qui s'abreuvent de pleurs
Et tettent la Douleur comme une bonne louve [3] !
Aux maigres orphelins séchant comme des fleurs !

Ainsi dans la forêt où mon esprit s'exile
50 Un vieux Souvenir sonne à plein souffle du cor !
Je pense aux matelots oubliés dans une île,
Aux captifs, aux vaincus !... à bien d'autres encor !

---

1. **Hélénus** : frère d'Hector, à qui Andromaque fut cédée par Pyrrhus.
2. **Phtisique** : atteint de phtisie, c'est-à-dire de tuberculose.
3. **Louve** : allusion à la louve romaine qui allaita Rémus et Romulus.

XC
Les sept vieillards

À Victor Hugo.

Fourmillante cité, cité pleine de rêves,
Où le spectre en plein jour raccroche le passant !
Les mystères partout coulent comme des sèves
Dans les canaux étroits du colosse puissant.

5 Un matin, cependant que dans la triste rue
Les maisons, dont la brume allongeait la hauteur,
Simulaient les deux quais d'une rivière accrue,
Et que, décor semblable à l'âme de l'acteur,

Un brouillard sale et jaune inondait tout l'espace,
10 Je suivais, roidissant mes nerfs comme un héros
Et discutant avec mon âme déjà lasse,
Le faubourg secoué par les lourds tombereaux[1].

Tout à coup, un vieillard dont les guenilles jaunes
Imitaient la couleur de ce ciel pluvieux,
15 Et dont l'aspect aurait fait pleuvoir les aumônes,
Sans la méchanceté qui luisait dans ses yeux,

M'apparut. On eût dit sa prunelle trempée
Dans le fiel ; son regard aiguisait les frimas,
Et sa barbe à longs poils, roide comme une épée
20 Se projetait, pareille à celle de Judas.

---

1. **Tombereaux** : charrettes.

Il n'était pas voûté, mais cassé, son échine
Faisant avec sa jambe un parfait angle droit,
Si bien que son bâton, parachevant sa mine,
Lui donnait la tournure et le pas maladroit

25 D'un quadrupède infirme ou d'un juif à trois pattes.
Dans la neige et la boue il allait s'empêtrant,
Comme s'il écrasait des morts sous ses savates,
Hostile à l'univers plutôt qu'indifférent.

Son pareil le suivait : barbe, œil, dos, bâton, loques,
30 Nul trait ne distinguait, du même enfer venu,
Ce jumeau centenaire, et ces spectres baroques
Marchaient du même pas vers un but inconnu.

À quel complot infâme étais-je donc en butte,
Ou quel méchant hasard ainsi m'humiliait ?
35 Car je comptai sept fois, de minute en minute,
Ce sinistre vieillard qui se multipliait !

Que celui-là qui rit de mon inquiétude,
Et qui n'est pas saisi d'un frisson fraternel,
Songe bien que malgré tant de décrépitude
40 Ces sept monstres hideux avaient l'air éternel !

Aurais-je, sans mourir, contemplé le huitième,
Sosie inexorable, ironique et fatal,
Dégoûtant Phénix, fils et père de lui-même ?
– Mais je tournai le dos au cortège infernal.

45 Exaspéré comme un ivrogne qui voit double,
Je rentrai, je fermai ma porte, épouvanté,
Malade et morfondu, l'esprit fiévreux et trouble,
Blessé par le mystère et par l'absurdité !

Vainement ma raison voulait prendre la barre ;
50 La tempête en jouant déroutait ses efforts,
Et mon âme dansait, dansait, vieille gabarre[1]
Sans mâts, sur une mer monstrueuse et sans bords !

XCI
Les petites vieilles

À Victor Hugo.

I

Dans les plis sinueux des vieilles capitales,
Où tout, même l'horreur, tourne aux enchantements,
Je guette, obéissant à mes humeurs fatales,
Des êtres singuliers, décrépits et charmants.

5 Ces monstres disloqués furent jadis des femmes,
Éponine[2] ou Laïs[3] ! Monstres brisés, bossus
Ou tordus, aimons-les ! ce sont encor des âmes.
Sous des jupons troués et sous de froids tissus

Ils rampent, flagellés par les bises iniques,
10 Frémissant au fracas roulant des omnibus,
Et serrant sur leur flanc, ainsi que des reliques,
Un petit sac brodé de fleurs ou de rébus ;

---

1. **Gabarre** : normalement orthographié « gabare », embarcation utilisée pour décharger les marchandises des navires.
2. **Éponine** : femme gauloise qui se sacrifia pour suivre son époux dans la mort, lors d'une insurrection contre les Romains. Elle est un symbole de vertu.
3. **Laïs** : nom d'une courtisane de Corinthe.

Ils trottent, tout pareils à des marionnettes ;
Se traînent, comme font les animaux blessés,
15 Ou dansent, sans vouloir danser, pauvres sonnettes
Où se pend un Démon sans pitié ! Tout cassés

Qu'ils sont, ils ont des yeux perçants comme une vrille,
Luisants comme ces trous où l'eau dort dans la nuit ;
Ils ont les yeux divins de la petite fille
20 Qui s'étonne et qui rit à tout ce qui reluit.

– Avez-vous observé que maints cercueils de vieilles
Sont presque aussi petits que celui d'un enfant ?
La Mort savante met dans ces bières[1] pareilles
Un symbole d'un goût bizarre et captivant,

25 Et lorsque j'entrevois un fantôme débile
Traversant de Paris le fourmillant tableau,
Il me semble toujours que cet être fragile
S'en va tout doucement vers un nouveau berceau ;

À moins que, méditant sur la géométrie,
30 Je ne cherche, à l'aspect de ces membres discords[2],
Combien de fois il faut que l'ouvrier varie
La forme de la boîte où l'on met tous ces corps.

– Ces yeux sont des puits faits d'un million de larmes,
Des creusets[3] qu'un métal refroidi pailleta…
35 Ces yeux mystérieux ont d'invincibles charmes
Pour celui que l'austère Infortune allaita !

---

1. **Bières** : cercueils.
2. **Discords** : mal accordés.
3. **Creusts** : récipients utilisés pour faire fondre les métaux.

II

De Frascati[1] défunt Vestale[2] enamourée ;
Prêtresse de Thalie[3], hélas ! dont le souffleur
Enterré sait le nom ; célèbre évaporée
40 Que Tivoli[4] jadis ombragea dans sa fleur,

Toutes m'enivrent ! mais parmi ces êtres frêles
Il en est qui, faisant de la douleur un miel,
Ont dit au Dévouement qui leur prêtait ses ailes :
Hippogriffe[5] puissant, mène-moi jusqu'au ciel !

45 L'une, par sa patrie au malheur exercée,
L'autre, que son époux surchargea de douleurs,
L'autre, par son enfant Madone transpercée,
Toutes auraient pu faire un fleuve avec leurs pleurs !

III

Ah ! que j'en ai suivi de ces petites vieilles !
50 Une, entre autres, à l'heure où le soleil tombant
Ensanglante le ciel de blessures vermeilles,
Pensive, s'asseyait à l'écart sur un banc,

Pour entendre un de ces concerts, riches de cuivre,
Dont les soldats parfois inondent nos jardins,
55 Et qui, dans ces soirs d'or où l'on se sent revivre,
Versent quelque héroïsme au cœur des citadins.

---

1. **Frascati** : nom d'une maison de jeu fermée en 1837.
2. **Vestale** : prêtresse de Vesta, divinité romaine consacrée à la virginité.
3. **Thalie** : muse de la comédie.
4. **Tivoli** : nom d'un lieu de plaisir à Paris.
5. **Hippogriffe** : dans la mythologie, monstre ailé, moitié cheval, moitié griffon.

Celle-là, droite encor, fière et sentant la règle,
Humait avidement ce chant vif et guerrier ;
Son œil parfois s'ouvrait comme l'œil d'un vieil aigle ;
60 Son front de marbre avait l'air fait pour le laurier !

IV

Telles vous cheminez, stoïques et sans plaintes,
À travers le chaos des vivantes cités,
Mères au cœur saignant, courtisanes ou saintes,
Dont autrefois les noms par tous étaient cités.

65 Vous qui fûtes la grâce ou qui fûtes la gloire,
Nul ne vous reconnaît ! un ivrogne incivil
Vous insulte en passant d'un amour dérisoire ;
Sur vos talons gambade un enfant lâche et vil.

Honteuses d'exister, ombres ratatinées,
70 Peureuses, le dos bas, vous côtoyez les murs ;
Et nul ne vous salue, étranges destinées !
Débris d'humanité pour l'éternité mûrs !

Mais moi, moi qui de loin tendrement vous surveille,
L'œil inquiet, fixé sur vos pas incertains,
75 Tout comme si j'étais votre père, ô merveille !
Je goûte à votre insu des plaisirs clandestins :

Je vois s'épanouir vos passions novices ;
Sombres ou lumineux, je vis vos jours perdus ;
Mon cœur multiplié jouit de tous vos vices !
80 Mon âme resplendit de toutes vos vertus !

Ruines ! ma famille ! ô cerveaux congénères !
Je vous fais chaque soir un solennel adieu !
Où serez-vous demain, Èves octogénaires,
Sur qui pèse la griffe effroyable de Dieu ?

XCII
Les aveugles

Contemple-les, mon âme ; ils sont vraiment affreux !
Pareils aux mannequins ; vaguement ridicules ;
Terribles, singuliers comme les somnambules ;
Dardant on ne sait où leurs globes ténébreux.

5   Leurs yeux, d'où la divine étincelle est partie,
Comme s'ils regardaient au loin, restent levés
Au ciel ; on ne les voit jamais vers les pavés
Pencher rêveusement leur tête appesantie.

Ils traversent ainsi le noir illimité,
10 Ce frère du silence éternel. Ô cité !
Pendant qu'autour de nous tu chantes, ris et beugles,

Éprise du plaisir jusqu'à l'atrocité,
Vois ! je me traîne aussi ! mais, plus qu'eux hébété,
Je dis : Que cherchent-ils au Ciel, tous ces aveugles ?

XCIII
À une passante

La rue assourdissante autour de moi hurlait.
Longue, mince, en grand deuil, douleur majestueuse,
Une femme passa, d'une main fastueuse
Soulevant, balançant le feston et l'ourlet ;

5   Agile et noble, avec sa jambe de statue.
Moi, je buvais, crispé comme un extravagant,
Dans son œil, ciel livide où germe l'ouragan,
La douceur qui fascine et le plaisir qui tue.

Un éclair… puis la nuit ! – Fugitive beauté
10 Dont le regard m'a fait soudainement renaître,
Ne te verrai-je plus que dans l'éternité ?

Ailleurs, bien loin d'ici ! trop tard ! *jamais* peut-être !
Car j'ignore où tu fuis, tu ne sais où je vais,
Ô toi que j'eusse aimée, ô toi qui le savais !

XCIV
Le squelette laboureur

I

Dans les planches d'anatomie
Qui traînent sur ces quais poudreux
Où maint livre cadavéreux
Dort comme une antique momie,

5 Dessins auxquels la gravité
Et le savoir d'un vieil artiste,
Bien que le sujet en soit triste,
Ont communiqué la Beauté,

On voit, ce qui rend plus complètes
10 Ces mystérieuses horreurs,
Bêchant comme des laboureurs,
Des Écorchés et des Squelettes.

II

De ce terrain que vous fouillez,
Manants résignés et funèbres,
15 De tout l'effort de vos vertèbres,
Ou de vos muscles dépouillés,

Dites, quelle moisson étrange,
Forçats arrachés au charnier,
Tirez-vous, et de quel fermier
20 Avez-vous à remplir la grange?

Voulez-vous (d'un destin trop dur
Épouvantable et clair emblème !)
Montrer que dans la fosse même
Le sommeil promis n'est pas sûr ;

25 Qu'envers nous le Néant est traître ;
Que tout, même la Mort, nous ment,
Et que sempiternellement,
Hélas ! il nous faudra peut-être

Dans quelque pays inconnu
30 Écorcher la terre revêche
Et pousser une lourde bêche
Sous notre pied sanglant et nu ?

XCV
Le crépuscule du soir

Voici le soir charmant, ami du criminel ;
Il vient comme un complice, à pas de loup ; le ciel
Se ferme lentement comme une grande alcôve,
Et l'homme impatient se change en bête fauve.

5 Ô soir, aimable soir, désiré par celui
Dont les bras, sans mentir, peuvent dire : Aujourd'hui
Nous avons travaillé ! – C'est le soir qui soulage
Les esprits que dévore une douleur sauvage,
Le savant obstiné dont le front s'alourdit,
10 Et l'ouvrier courbé qui regagne son lit.

Cependant des démons malsains dans l'atmosphère
S'éveillent lourdement, comme des gens d'affaire,
Et cognent en volant les volets et l'auvent.
À travers les lueurs que tourmente le vent
15 La Prostitution s'allume dans les rues ;
Comme une fourmilière elle ouvre ses issues ;
Partout elle se fraye un occulte chemin,
Ainsi que l'ennemi qui tente un coup de main ;
Elle remue au sein de la cité de fange
20 Comme un ver qui dérobe à l'Homme ce qu'il mange.
On entend çà et là les cuisines siffler,
Les théâtres glapir, les orchestres ronfler ;
Les tables d'hôte, dont le jeu fait les délices,
S'emplissent de catins[1] et d'escrocs, leurs complices,
25 Et les voleurs, qui n'ont ni trêve ni merci,
Vont bientôt commencer leur travail, eux aussi,
Et forcer doucement les portes et les caisses
Pour vivre quelques jours et vêtir leurs maîtresses.

Recueille-toi, mon âme, en ce grave moment,
30 Et ferme ton oreille à ce rugissement.
C'est l'heure où les douleurs des malades s'aigrissent !
La sombre Nuit les prend à la gorge ; ils finissent
Leur destinée et vont vers le gouffre commun ;
L'hôpital se remplit de leurs soupirs. – Plus d'un
35 Ne viendra plus chercher la soupe parfumée,
Au coin du feu, le soir, auprès d'une âme aimée.

Encore la plupart n'ont-ils jamais connu
La douceur du foyer et n'ont jamais vécu !

---

1. **Catins** : prostituées.

XCVI
Le jeu

Dans des fauteuils fanés des courtisanes vieilles,
Pâles, le sourcil peint, l'œil câlin et fatal,
Minaudant, et faisant de leurs maigres oreilles
Tomber un cliquetis de pierre et de métal ;

5   Autour des verts tapis des visages sans lèvre,
Des lèvres sans couleur, des mâchoires sans dent,
Et des doigts convulsés d'une infernale fièvre,
Fouillant la poche vide ou le sein palpitant ;

Sous de sales plafonds un rang de pâles lustres
10   Et d'énormes quinquets¹ projetant leurs lueurs
Sur des fronts ténébreux de poètes illustres
Qui viennent gaspiller leurs sanglantes sueurs ;

Voilà le noir tableau qu'en un rêve nocturne
Je vis se dérouler sous mon œil clairvoyant.
15   Moi-même, dans un coin de l'antre taciturne,
Je me vis accoudé, froid, muet, enviant,

Enviant de ces gens la passion tenace,
De ces vieilles putains la funèbre gaieté,
Et tous gaillardement trafiquant à ma face,
20   L'un de son vieil honneur, l'autre de sa beauté !

Et mon cœur s'effraya d'envier maint pauvre homme
Courant avec ferveur à l'abîme béant,
Et qui, soûl de son sang, préférerait en somme
La douleur à la mort et l'enfer au néant !

---

1. **Quinquets** : lampes à huile.

XCVII
Danse macabre[1]

À Ernest Christophe.

Fière, autant qu'un vivant, de sa noble stature,
Avec son gros bouquet, son mouchoir et ses gants,
Elle a la nonchalance et la désinvolture
D'une coquette maigre aux airs extravagants.

5   Vit-on jamais au bal une taille plus mince ?
Sa robe exagérée, en sa royale ampleur,
S'écroule abondamment sur un pied sec que pince
Un soulier pomponné, joli comme une fleur.

La ruche[2] qui se joue au bord des clavicules,
10 Comme un ruisseau lascif qui se frotte au rocher,
Défend pudiquement des lazzi[3] ridicules
Les funèbres appas qu'elle tient à cacher.

Ses yeux profonds sont faits de vide et de ténèbres,
Et son crâne, de fleurs artistement coiffé,
15 Oscille mollement sur ses frêles vertèbres,
Ô charme d'un néant follement attifé !

Aucuns t'appelleront une caricature,
Qui ne comprennent pas, amants ivres de chair,
L'élégance sans nom de l'humaine armature.
20 Tu réponds, grand squelette, à mon goût le plus cher !

---

1. Danse macabre : traditionnellement, la danse macabre est, au Moyen Âge, une représentation allégorique de la Mort, entraînant dans sa ronde les vivants et signifiant que tous, riches et pauvres, petits et grands, sont conduits par la Mort.
2. Ruche : bande plissée de dentelle ou de tulle.
3. Lazzi : plaisanteries provocatrices.

Viens-tu troubler, avec ta puissante grimace,
La fête de la Vie? ou quelque vieux désir,
Éperonnant encor ta vivante carcasse,
Te pousse-t-il, crédule, au sabbat du Plaisir?

25   Au chant des violons, aux flammes des bougies,
Espères-tu chasser ton cauchemar moqueur,
Et viens-tu demander au torrent des orgies
De rafraîchir l'enfer allumé dans ton cœur?

Inépuisable puits de sottise et de fautes!
30   De l'antique douleur éternel alambic[1]!
À travers le treillis recourbé de tes côtes
Je vois, errant encor, l'insatiable aspic[2].

Pour dire vrai, je crains que ta coquetterie
Ne trouve pas un prix digne de ses efforts;
35   Qui, de ces cœurs mortels, entend la raillerie?
Les charmes de l'horreur n'enivrent que les forts!

Le gouffre de tes yeux, plein d'horribles pensées,
Exhale le vertige, et les danseurs prudents
Ne contempleront pas sans d'amères nausées
40   Le sourire éternel de tes trente-deux dents.

Pourtant, qui n'a serré dans ses bras un squelette,
Et qui ne s'est nourri des choses du tombeau?
Qu'importe le parfum, l'habit ou la toilette?
Qui fait le dégoûté montre qu'il se croit beau.

---

1. **Alambic** : appareil servant à distiller l'alcool.
2. **Aspic** : vipère.

45   Bayadère[1] sans nez, irrésistible gouge[2],
    Dis donc à ces danseurs qui font les offusqués :
    « Fiers mignons, malgré l'art des poudres et du rouge,
    Vous sentez tous la mort ! Ô squelettes musqués,

    Antinoüs[3] flétris, dandys à face glabre,
50   Cadavres vernissés, lovelaces[4] chenus,
    Le branle universel de la danse macabre
    Vous entraîne en des lieux qui ne sont pas connus !

    Des quais froids de la Seine aux bords brûlants du Gange,
    Le troupeau mortel saute et se pâme, sans voir
55   Dans un trou du plafond la trompette de l'Ange
    Sinistrement béante ainsi qu'un tromblon[5] noir.

    En tout climat, sous tout soleil, la Mort t'admire
    En tes contorsions, risible Humanité,
    Et souvent, comme toi, se parfumant de myrrhe,
60   Mêle son ironie à ton insanité ! »

---

1. **Bayadère** : danseuse sacrée orientale (Inde).
2. **Gouge** : courtisane qui suit l'armée dans ses déplacements.
3. **Antinoüs** : modèle de beauté virile grecque.
4. **Lovelaces** : mot forgé à partir du nom Lovelace, héros séducteur et cynique du roman de Richardson, *Clarissa* (1748).
5. **Tromblon** : arme à feu.

XCVIII
L'amour du mensonge

Quand je te vois passer, ô ma chère indolente,
Au chant des instruments qui se brise au plafond
Suspendant ton allure harmonieuse et lente,
Et promenant l'ennui de ton regard profond ;

5 Quand je contemple, aux feux du gaz qui le colore,
Ton front pâle, embelli par un morbide attrait,
Où les torches du soir allument une aurore,
Et tes yeux attirants comme ceux d'un portrait,

Je me dis : Qu'elle est belle ! et bizarrement fraîche !
10 Le souvenir massif, royale et lourde tour,
La couronne, et son cœur, meurtri comme une pêche,
Est mûr, comme son corps, pour le savant amour.

Es-tu le fruit d'automne aux saveurs souveraines ?
Es-tu vase funèbre attendant quelques pleurs,
15 Parfum qui fait rêver aux oasis lointaines,
Oreiller caressant, ou corbeille de fleurs ?

Je sais qu'il est des yeux, des plus mélancoliques,
Qui ne recèlent point de secrets précieux ;
Beaux écrins sans joyaux, médaillons sans reliques,
20 Plus vides, plus profonds que vous-mêmes, ô Cieux !

Mais ne suffit-il pas que tu sois l'apparence,
Pour réjouir un cœur qui fuit la vérité ?
Qu'importe ta bêtise ou ton indifférence ?
Masque ou décor, salut ! J'adore ta beauté.

XCIX

Je n'ai pas oublié, voisine de la ville,
Notre blanche maison, petite mais tranquille ;
Sa Pomone[1] de plâtre et sa vieille Vénus
Dans un bosquet chétif cachant leurs membres nus,
5   Et le soleil, le soir, ruisselant et superbe
Qui, derrière la vitre où se brisait sa gerbe,
Semblait, grand œil ouvert dans le ciel curieux,
Contempler nos dîners longs et silencieux,
Répandant largement ses beaux reflets de cierge
10   Sur la nappe frugale et les rideaux de serge.

C

La servante au grand cœur dont vous étiez jalouse,
Et qui dort son sommeil[2] sous une humble pelouse,
Nous devrions pourtant lui porter quelques fleurs.
Les morts, les pauvres morts, ont de grandes douleurs,
5   Et quand Octobre souffle, émondeur[3] des vieux arbres,
Son vent mélancolique à l'entour de leurs marbres,
Certe[4], ils doivent trouver les vivants bien ingrats,
À dormir, comme ils font, chaudement dans leurs draps,

---

1.   Pomone : divinité romaine des jardins.
2.   Qui dort son sommeil : construction archaïsante.
3.   Émondeur : celui qui coupe les branches mortes.
4.   Certe : l'absence du « s » tient au compte syllabique, et notamment à l'élision du « e » final de « certe » devant une voyelle.

10 Tandis que, dévorés de noires songeries,
Sans compagnon de lit, sans bonnes causeries,
Vieux squelettes gelés travaillés par le ver,
Ils sentent s'égoutter les neiges de l'hiver
Et le siècle couler, sans qu'amis ni famille
Remplacent les lambeaux qui pendent à leur grille.

15 Lorsque la bûche siffle et chante, si le soir,
Calme, dans le fauteuil je la voyais s'asseoir,
Si, par une nuit bleue et froide de décembre,
Je la trouvais tapie en un coin de ma chambre,
Grave, et venant du fond de son lit éternel
20 Couver l'enfant grandi de son œil maternel,
Que pourrais-je répondre à cette âme pieuse,
Voyant tomber des pleurs de sa paupière creuse ?

CI
Brumes et pluies

Ô fins d'automne, hivers, printemps trempés de boue,
Endormeuses saisons ! je vous aime et vous loue
D'envelopper ainsi mon cœur et mon cerveau
D'un linceul vaporeux et d'un vague tombeau.

5 Dans cette grande plaine où l'autan froid se joue,
Où par les longues nuits la girouette s'enroue,
Mon âme mieux qu'au temps du tiède renouveau
Ouvrira largement ses ailes de corbeau.

Rien n'est plus doux au cœur plein de choses funèbres,
10 Et sur qui dès longtemps descendent les frimas,
Ô blafardes saisons, reines de nos climats,

Que l'aspect permanent de vos pâles ténèbres,
– Si ce n'est, par un soir sans lune, deux à deux,
D'endormir la douleur sur un lit hasardeux.

CII
Rêve parisien

À Constantin Guys[1].

I

De ce terrible paysage,
Tel que jamais mortel n'en vit,
Ce matin encore l'image,
Vague et lointaine, me ravit.

5 Le sommeil est plein de miracles !
Par un caprice singulier
J'avais banni de ces spectacles
Le végétal irrégulier,

---

1. Constantin Guys : artiste peintre français (1805-1892) auquel Baudelaire a consacré une étude en 1863, *Le Peintre de la vie moderne*.

Et, peintre fier de mon génie,
10   Je savourais dans mon tableau
L'enivrante monotonie
Du métal, du marbre et de l'eau.

Babel[1] d'escaliers et d'arcades,
C'était un palais infini,
15   Plein de bassins et de cascades
Tombant dans l'or mat ou bruni;

Et des cataractes pesantes,
Comme des rideaux de cristal,
Se suspendaient, éblouissantes,
20   À des murailles de métal.

Non d'arbres, mais de colonnades
Les étangs dormants s'entouraient,
Où de gigantesques naïades[2],
Comme des femmes, se miraient.

25   Des nappes d'eau s'épanchaient, bleues,
Entre des quais roses et verts,
Pendant des millions de lieues,
Vers les confins de l'univers;

C'étaient des pierres inouïes
30   Et des flots magiques; c'étaient
D'immenses glaces éblouies
Par tout ce qu'elles reflétaient!

---

1. **Babel**: allusion au mythe de la tour de Babel dans la Bible (Genèse, XI).
2. **Naïades**: divinités des eaux.

Insouciants et taciturnes,
Des Ganges[1], dans le firmament,
35 Versaient le trésor de leurs urnes[2]
Dans des gouffres de diamant.

Architecte de mes féeries,
Je faisais, à ma volonté,
Sous un tunnel de pierreries
40 Passer un océan dompté;

Et tout, même la couleur noire,
Semblait fourbi[3], clair, irisé;
Le liquide enchâssait sa gloire
Dans le rayon cristallisé.

45 Nul astre d'ailleurs, nuls vestiges
De soleil, même au bas du ciel,
Pour illuminer ces prodiges,
Qui brillaient d'un feu personnel!

Et sur ces mouvantes merveilles
50 Planait (terrible nouveauté!
Tout pour l'œil, rien pour les oreilles!)
Un silence d'éternité.

---

1. **Ganges**: le Gange est un fleuve sacré de l'Inde.
2. **Urnes**: vases.
3. **Fourbi**: astiqué.

II

En rouvrant mes yeux pleins de flamme
J'ai vu l'horreur de mon taudis,
55 Et senti, rentrant dans mon âme,
La pointe des soucis maudits ;

La pendule aux accents funèbres
Sonnait brutalement midi,
Et le ciel versait des ténèbres
60 Sur le triste monde engourdi.

CIII
Le crépuscule du matin

La diane[1] chantait dans les cours des casernes,
Et le vent du matin soufflait sur les lanternes.

C'était l'heure où l'essaim des rêves malfaisants
Tord sur leurs oreillers les bruns adolescents ;
5 Où, comme un œil sanglant qui palpite et qui bouge,
La lampe sur le jour fait une tache rouge ;
Où l'âme, sous le poids du corps revêche et lourd,
Imite les combats de la lampe et du jour.
Comme un visage en pleurs que les brises essuient,
10 L'air est plein du frisson des choses qui s'enfuient,
Et l'homme est las d'écrire et la femme d'aimer.

---

1. **Diane** : sonnerie de clairon ou batterie de tambour qui annonce le réveil.

Les maisons çà et là commençaient à fumer.
Les femmes de plaisir, la paupière livide,
Bouche ouverte, dormaient de leur sommeil stupide ;
15 Les pauvresses, traînant leurs seins maigres et froids,
Soufflaient sur leurs tisons et soufflaient sur leurs doigts.
C'était l'heure où parmi le froid et la lésine[1]
S'aggravent les douleurs des femmes en gésine[2] ;
Comme un sanglot coupé par un sang écumeux
20 Le chant du coq au loin déchirait l'air brumeux ;
Une mer de brouillards baignait les édifices,
Et les agonisants dans le fond des hospices
Poussaient leur dernier râle en hoquets inégaux.
Les débauchés rentraient, brisés par leurs travaux.

25 L'aurore grelottante en robe rose et verte
S'avançait lentement sur la Seine déserte,
Et le sombre Paris, en se frottant les yeux,
Empoignait ses outils, vieillard laborieux.

---

1. **Lésine** : extrême avarice.
2. **Femmes en gésine** : femmes sur le point d'accoucher.

Arrêt
sur lecture 3

Pour comprendre l'essentiel

Une poésie urbaine

❶ Les dix-huit poèmes de la section « Tableaux parisiens » ont été insérés dans l'édition des *Fleurs du mal* de 1861. Après les avoir lus, dites comment vous comprenez le mot « tableaux ».

❷ Baudelaire ne cherche pas à fixer le pittoresque de la ville ; la quête du poète est autre. Montrez-le en explicitant le sens des vers 6 à 8 du poème « Le soleil » (LXXXVII, p. 127) : « Flairant dans tous les coins les hasards de la rime, [...] Heurtant parfois des vers depuis longtemps rêvés ».

❸ Dans le Salon de 1859, Baudelaire appelait de ses vœux un genre nouveau qui serait « le paysage des grandes villes », oublié par la peinture de son temps. Expliquez dans quelle mesure cette section du recueil répond à cette attente.

Une poésie de la modernité

❹ Dans les poèmes de la section « Tableaux parisiens », Baudelaire évoque deux visages de la capitale : le vieux Paris et le Paris en pleine métamorphose (rénovation entreprise par le baron Haussmann). Montrez-le en vous appuyant en particulier sur le poème « Le cygne » (LXXXIX, p. 130).

❺ La modernité parisienne est faite de mouvements et de bruits, d'agitation et de fracas. Retrouvez les poèmes qui présentent explicitement ces caractéristiques du Paris moderne en citant quelques vers significatifs.

❻ Dans *Le Peintre de la vie moderne*, Baudelaire déclare: « La modernité, c'est le transitoire, le contingent ». Dites quels poèmes de « Tableaux parisiens » révèlent cette modernité thématique du fugitif et de l'occasionnel.

Une fresque des misères

❼ Le choc de l'imprévu constitue un événement essentiel dans les « Tableaux parisiens ». Montrez-le en vous appuyant sur le poème « Les sept vieillards » (XC, p. 133).

❽ Baudelaire entreprend de peindre les déshérités de tous ordres (« mendiante rousse », vieillards en guenilles, petites vieilles cassées, aveugles, femmes de plaisir et débauchés). Analysez la relation que le je-poète entretient avec les êtres enlisés dans la souffrance, les marginaux, les exclus, qu'il fait défiler sous nos yeux.

❾ « Tout pour moi devient allégorie » écrit le poète dans « Le cygne » (LXXXIX, v. 31, p. 132). Relisez ce poème dédié à Victor Hugo et mettez en évidence ce que représente ou symbolise cet oiseau « évadé de sa cage ».

Rappelez-vous !

• La section « Tableaux parisiens » invite le lecteur à une déambulation exploratrice dans les coins et les recoins de la capitale. C'est le **premier exemple significatif d'une poésie de la grande ville au XIXe siècle.** Baudelaire fonde un genre, à l'opposé de la poésie de la nature illustrée par les poètes romantiques.

• Il engage du même coup la poésie sur le terrain de la **modernité** : représentation du monde contemporain, de son tapage et de sa dysharmonie, autoportrait du poète en flâneur, en errant solitaire et mélancolique trouvant dans les spectacles parisiens la confirmation de son exil.

Vers l'oral du bac

Analyse du poème XCIII, « À une passante », p. 140

☛ Montrer comment ce poème de la rencontre se transforme en allégorie moderne

Conseils pour la lecture à voix haute

– Veillez à marquer un temps d'arrêt entre les vers 8 et 9. Cette pause signale en effet un tournant dans le poème.
– Vous aurez soin de souligner, par votre diction, la distinction entre le portrait de la passante d'une part (les deux quatrains), la forte émotion de l'observateur face à cette rencontre imprévue d'autre part (les six derniers vers).

Analyse du texte

■ *Introduction rédigée*

Ce sonnet participe de la thématique centrale des « Tableaux parisiens » : il évoque une rencontre fugitive dans un cadre urbain. Mais ce décor matériel (sur lequel insiste le vers initial) s'efface très vite au seul profit d'une « apparition » qui, quoique fugace, imprime dans le regard et dans l'esprit du poète une image durable. C'est sur la nature et les propriétés de cette image que Baudelaire s'interroge. De là s'exalte une beauté mystérieuse, allégorie du Beau moderne.
Le sonnet peut donc être approché comme une tentative de fixation de la modernité poétique : le fugitif, le transitoire, le contingent fondent une vision du monde et de la femme qui prend d'abord la forme d'un croquis parisien. Mais le poème nous fait aussi assister à une espèce d'événement foudroyant, qui révèle une beauté moderne et mélancolique.

■ *Analyse guidée*

I. Un croquis parisien

a. Le vers initial du poème plante un décor, «La rue», dont le bruit est la caractéristique principale. Montrez-le et analysez les répétitions phoniques qui soulignent la force sonore de cet alexandrin.

b. Les vers 2 à 7 de ce sonnet sont essentiellement descriptifs et centrés sur le portrait en mouvement d'une femme. Analysez la manière dont est construite la description de la passante et précisez l'impression qui s'en dégage.

c. Dans «À une passante», Baudelaire adopte la posture d'un observateur subjugué. Montrez que le poème s'apparente au genre du croquis et dépeint une scène saisie sur le vif, en vous appuyant sur un relevé des termes appartenant au champ lexical du mouvement.

II. Une relation fulgurante

a. Une relation s'établit entre le poète et la femme apparue. Caractérisez-la en vous appuyant avec précision sur des expressions du texte.

b. Le poète souligne l'intensité de cette relation à l'aide d'expressions imagées dont une comparaison. Relevez-la et précisez l'effet qu'elle produit. Expliquez ensuite la métaphore «ciel livide où germe l'ouragan» (v. 7).

c. La brusque disparition de l'inconnue suscite chez le poète une vive émotion. En prenant appui sur l'analyse du rythme des phrases et des vers, montrez comment elle est traduite dans les deux tercets (les six derniers vers) de ce sonnet.

III. Une allégorie de la beauté

a. La beauté de la passante est décrite comme immuable dans l'expression métaphorique «avec sa jambe de statue» (v. 5). Expliquez cette image et dites en quoi elle peut surprendre dans le vers où elle apparaît.

b. La description cède la place au discours dans le premier tercet. Précisez la relation qui s'instaure alors entre le poète et la femme disparue.

c. «À une passante» illustre l'idéal de la beauté selon Baudelaire. Montrez comment le personnage de la passante symbolise cet idéal (allégorie) et permet de le matérialiser.

■ *Conclusion rédigée*

« À une passante » apparaît comme le récit d'un échec et le poème
d'un triomphe. Échec dans la mesure où le « moi » ne parvient pas
à saisir et à retenir cette beauté qui passe et qui est, en fait, son alliée,
à la fois familière et inconnue : cette rencontre fugitive ne se reproduira
plus. Triomphe parce que le poète a été comme régénéré par l'apparition
fortuite ; il est tout entier pénétré de cette beauté, qui est son idéal. C'est
pourquoi ce sonnet porte le titre dédicatoire « À une passante », comme
un salut, ou un geste de reconnaissance adressé à la Beauté insaisissable.
Baudelaire célèbre moins une femme réelle qu'une allégorie de la poésie
moderne, endeuillée et mélancolique, et dont le profil se dessine sur fond
de fracas urbain et de dysharmonie.

Les trois questions de l'examinateur

Question 1. Rappelez-vous que dans *Les Fleurs du mal*, la femme est
nantie d'une fonction de médiatrice : elle favorise l'accès à l'ivresse,
à l'oubli, à l'ailleurs ; mais elle est aussi, et paradoxalement, l'obstacle
à toute réelle échappée dans l'inconnu, car en elle s'agite le démon.
Aussi dispense-t-elle autant de bienfait que de malheur. Dites dans quelle
mesure « À une passante » permet de confirmer ce constat d'ambiguïté.

Question 2. Le sonnet ressortit pour Baudelaire à une esthétique de
la brièveté et de la condensation. Montrez que « À une passante » illustre
les grands principes de cette esthétique en faisant notamment l'économie
de l'anecdote comme du récit.

Question 3. Ce poème participe de la thématique littéraire de
la rencontre imprévue. En vous référant à vos connaissances, vous
dégagerez les caractéristiques principales de la scène de rencontre.

LE VIN

CIV
L'âme du vin

Un soir, l'âme du vin chantait dans les bouteilles :
« Homme, vers toi je pousse, ô cher déshérité,
Sous ma prison de verre et mes cires vermeilles,
Un chant plein de lumière et de fraternité !

5 Je sais combien il faut, sur la colline en flamme,
De peine, de sueur et de soleil cuisant
Pour engendrer ma vie et pour me donner l'âme ;
Mais je ne serai point ingrat ni malfaisant,

Car j'éprouve une joie immense quand je tombe
10 Dans le gosier d'un homme usé par ses travaux,
Et sa chaude poitrine est une douce tombe
Où je me plais bien mieux que dans mes froids caveaux.

Entends-tu retentir les refrains des dimanches
Et l'espoir qui gazouille en mon sein palpitant ?
15 Les coudes sur la table et retroussant tes manches,
Tu me glorifieras et tu seras content ;

J'allumerai les yeux de ta femme ravie ;
À ton fils je rendrai sa force et ses couleurs
Et serai pour ce frêle athlète de la vie
20 L'huile qui raffermit les muscles des lutteurs.

En toi je tomberai, végétale ambroisie [1],
Grain précieux jeté par l'éternel Semeur,
Pour que de notre amour naisse la poésie
Qui jaillira vers Dieu comme une rare fleur ! »

_____

1. **Ambroisie** : nourriture des dieux, supposée donner l'immortalité.

CV
Le vin des chiffonniers

Souvent, à la clarté rouge d'un réverbère
Dont le vent bat la flamme et tourmente le verre,
Au cœur d'un vieux faubourg, labyrinthe fangeux
Où l'humanité grouille en ferments orageux,

5 On voit un chiffonnier qui vient, hochant la tête,
Butant, et se cognant aux murs comme un poète,
Et, sans prendre souci des mouchards, ses sujets,
Épanche tout son cœur en glorieux projets.

Il prête des serments, dicte des lois sublimes,
10 Terrasse les méchants, relève les victimes,
Et sous le firmament comme un dais suspendu
S'enivre des splendeurs de sa propre vertu.

Oui, ces gens harcelés de chagrins de ménage,
Moulus par le travail et tourmentés par l'âge,
15 Éreintés et pliant sous un tas de débris,
Vomissement confus de l'énorme Paris,

Reviennent, parfumés d'une odeur de futailles[1],
Suivis de compagnons, blanchis dans les batailles,
Dont la moustache pend comme les vieux drapeaux.
20 Les bannières, les fleurs et les arcs triomphaux

Se dressent devant eux, solennelle magie !
Et dans l'étourdissante et lumineuse orgie
Des clairons, du soleil, des cris et du tambour,
Ils apportent la gloire au peuple ivre d'amour !

---

1. **Futailles** : tonneaux.

25   C'est ainsi qu'à travers l'Humanité frivole
    Le vin roule de l'or, éblouissant Pactole[1] ;
    Par le gosier de l'homme il chante ses exploits
    Et règne par ses dons ainsi que les vrais rois.

    Pour noyer la rancœur et bercer l'indolence
30   De tous ces vieux maudits qui meurent en silence,
    Dieu, touché de remords, avait fait le sommeil ;
    L'Homme ajouta le Vin, fils sacré du Soleil !

CVI
Le vin de l'assassin

    Ma femme est morte, je suis libre !
    Je puis donc boire tout mon soûl.
    Lorsque je rentrais sans un sou,
    Ses cris me déchiraient la fibre.

5   Autant qu'un roi je suis heureux ;
    L'air est pur, le ciel admirable…
    Nous avions un été semblable
    Lorsque j'en devins amoureux !

    L'horrible soif qui me déchire
10   Aurait besoin pour s'assouvir
    D'autant de vin qu'en peut tenir
    Son tombeau ; – ce n'est pas peu dire :

---

1. **Pactole** : rivière de Lydie où, d'après la légende, l'or coulait à flot.

Je l'ai jetée au fond d'un puits,
Et j'ai même poussé sur elle
15 Tous les pavés de la margelle[1].
– Je l'oublierai si je le puis !

Au nom des serments de tendresse,
Dont rien ne peut nous délier,
Et pour nous réconcilier
20 Comme au beau temps de notre ivresse,

J'implorai d'elle un rendez-vous,
Le soir, sur une route obscure.
Elle y vint ! – folle créature !
Nous sommes tous plus ou moins fous !

25 Elle était encore jolie,
Quoique bien fatiguée ! et moi,
Je l'aimais trop ! voilà pourquoi
Je lui dis : Sors de cette vie !

Nul ne peut me comprendre. Un seul
30 Parmi ces ivrognes stupides
Songea-t-il dans ses nuits morbides
À faire du vin un linceul ?

Cette crapule invulnérable
Comme les machines de fer
35 Jamais, ni l'été ni l'hiver,
N'a connu l'amour véritable,

---

1. **Margelle** : rebord d'un puits.

Avec ses noirs enchantements,
Son cortège infernal d'alarmes,
Ses fioles de poison, ses larmes,
40   Ses bruits de chaîne et d'ossements !

– Me voilà libre et solitaire !
Je serai ce soir ivre mort ;
Alors, sans peur et sans remord,
Je me coucherai sur la terre,

45   Et je dormirai comme un chien !
Le chariot aux lourdes roues
Chargé de pierres et de boues,
Le wagon enragé peut bien

Écraser ma tête coupable
50   Ou me couper par le milieu,
Je m'en moque comme de Dieu,
Du Diable ou de la Sainte Table !

CVII
Le vin du solitaire

Le regard singulier d'une femme galante
Qui se glisse vers nous comme le rayon blanc
Que la lune onduleuse envoie au lac tremblant,
Quand elle y veut baigner sa beauté nonchalante ;

5 Le dernier sac d'écus dans les doigts d'un joueur;
    Un baiser libertin de la maigre Adeline;
    Les sons d'une musique énervante et câline,
    Semblable au cri lointain de l'humaine douleur,

    Tout cela ne vaut pas, ô bouteille profonde,
10 Les baumes pénétrants que ta panse féconde
    Garde an cœur altéré du poète pieux;

    Tu lui verses l'espoir, la jeunesse et la vie,
    – Et l'orgueil, ce trésor de toute gueuserie[1],
    Qui nous rend triomphants et semblables aux Dieux!

CVIII
Le vin des amants

Aujourd'hui l'espace est splendide!
Sans mors, sans éperons, sans bride,
Partons à cheval sur le vin
Pour un ciel féerique et divin!

5 Comme deux anges que torture
Une implacable calenture[2],
Dans le bleu cristal du matin
Suivons le mirage lointain!

---

1. **Gueuserie**: condition misérable.
2. **Calentures**: d'après le dictionnaire *Littré:* «Espèce de délire furieux auquel les navigateurs sont sujets dans la zone torride».

Mollement balancés sur l'aile
10 Du tourbillon intelligent,
Dans un délire parallèle,

Ma sœur, côte à côte nageant,
Nous fuirons sans repos ni trêves
Vers le paradis de mes rêves !

FLEURS DU MAL

CIX
La destruction

Sans cesse à mes côtés s'agite le Démon ;
Il nage autour de moi comme un air impalpable ;
Je l'avale et le sens qui brûle mon poumon
Et l'emplit d'un désir éternel et coupable.

5 Parfois il prend, sachant mon grand amour de l'Art,
La forme de la plus séduisante des femmes,
Et, sous de spécieux prétextes de cafard[1],
Accoutume ma lèvre à des philtres infâmes.

Il me conduit ainsi, loin du regard de Dieu,
10 Haletant et brisé de fatigue, au milieu
Des plaines de l'Ennui, profondes et désertes,

Et jette dans mes yeux pleins de confusion
Des vêtements souillés, des blessures ouvertes,
Et l'appareil sanglant de la Destruction !

---

1. **Cafard** : hypocrite.

CX
Une martyre
Dessin d'un maître inconnu

Au milieu des flacons, des étoffes lamées
     Et des meubles voluptueux,
Des marbres, des tableaux, des robes parfumées
     Qui traînent à plis somptueux,

5 Dans une chambre tiède où, comme en une serre,
     L'air est dangereux et fatal,
Où des bouquets mourants dans leurs cercueils de verre
     Exhalent leur soupir final,

Un cadavre sans tête épanche, comme un fleuve,
10   Sur l'oreiller désaltéré
Un sang rouge et vivant, dont la toile s'abreuve
     Avec l'avidité d'un pré.

Semblable aux visions pâles qu'enfante l'ombre
     Et qui nous enchaînent les yeux,
15 La tête, avec l'amas de sa crinière sombre
     Et de ses bijoux précieux,

Sur la table de nuit, comme une renoncule,
     Repose ; et, vide de pensers,
Un regard vague et blanc comme le crépuscule
20   S'échappe des yeux révulsés.

Sur le lit, le tronc nu sans scrupules étale
     Dans le plus complet abandon
La secrète splendeur et la beauté fatale
     Dont la nature lui fit don ;

25   Un bas rosâtre, orné de coins d'or, à la jambe,
            Comme un souvenir est resté ;
    La jarretière, ainsi qu'un œil secret qui flambe,
            Darde un regard diamanté.

    Le singulier aspect de cette solitude
30   Et d'un grand portrait langoureux,
    Aux yeux provocateurs comme son attitude,
            Révèle un amour ténébreux,

    Une coupable joie et des fêtes étranges
            Pleines de baisers infernaux,
35   Dont se réjouissait l'essaim des mauvais anges
            Nageant dans les plis des rideaux ;

    Et cependant, à voir la maigreur élégante
            De l'épaule au contour heurté,
    La hanche un peu pointue et la taille fringante
40   Ainsi qu'un reptile irrité,

    Elle est bien jeune encor ! – Son âme exaspérée
            Et ses sens par l'ennui mordus
    S'étaient-ils entr'ouverts à la meute altérée
            Des désirs errants et perdus ?

45   L'homme vindicatif que tu n'as pu, vivante,
            Malgré tant d'amour, assouvir,
    Combla-t-il sur ta chair inerte et complaisante
            L'immensité de son désir ?

    Réponds, cadavre impur ! et par tes tresses roides
50   Te soulevant d'un bras fiévreux,
    Dis-moi, tête effrayante, a-t-il sur tes dents froides
            Collé les suprêmes adieux ?

– Loin du monde railleur, loin de la foule impure,
 Loin des magistrats curieux,
55 Dors en paix, dors en paix, étrange créature,
 Dans ton tombeau mystérieux ;

Ton époux court le monde, et ta forme immortelle
 Veille près de lui quand il dort ;
Autant que toi sans doute il te sera fidèle,
60 Et constant jusques à la mort.

CXI
Femmes damnées

Comme un bétail pensif sur le sable couchées,
Elles tournent leurs yeux vers l'horizon des mers,
Et leurs pieds se cherchant et leurs mains rapprochées
Ont de douces langueurs et des frissons amers.

5 Les unes, cœurs épris des longues confidences,
Dans le fond des bosquets où jasent les ruisseaux,
Vont épelant l'amour des craintives enfances
Et creusent le bois vert des jeunes arbrisseaux ;

D'autres, comme des sœurs, marchent lentes et graves
10 À travers les rochers pleins d'apparitions,
Où saint Antoine [1] a vu surgir comme des laves
Les seins nus et pourprés de ses tentations ;

---

1. Saint Antoine: ermite qui vécut de 250 à 356. Retiré au désert, il subit les assauts de la Tentation.

173

Il en est, aux lueurs des résines croulantes,
Qui dans le creux muet des vieux antres païens
15 T'appellent au secours de leurs fièvres hurlantes,
Ô Bacchus[1], endormeur des remords anciens!

Et d'autres, dont la gorge aime les scapulaires[2],
Qui, recélant un fouet sous leurs longs vêtements,
Mêlent, dans le bois sombre et les nuits solitaires,
20 L'écume du plaisir aux larmes des tourments.

Ô vierges, ô démons, ô monstres, ô martyres,
De la réalité grands esprits contempteurs[3],
Chercheuses d'infini, dévotes et satyres,
Tantôt pleines de cris, tantôt pleines de pleurs,

25 Vous que dans votre enfer mon âme a poursuivies,
Pauvres sœurs, je vous aime autant que je vous plains,
Pour vos mornes douleurs, vos soifs inassouvies,
Et les urnes d'amour dont vos grands cœurs sont pleins!

---

1. **Bacchus**: dieu du vin et de l'ivresse dans la mythologie antique.
2. **Scapulaires**: vêtements que certains religieux portent sur les épaules.
3. **Contempteurs**: qui méprisent.

CXII
Les deux bonnes sœurs

La Débauche et la Mort sont deux aimables filles,
Prodigues de baisers et riches de santé,
Dont le flanc toujours vierge et drapé de guenilles
Sous l'éternel labeur n'a jamais enfanté.

5   Au poète sinistre, ennemi des familles,
Favori de l'enfer, courtisan mal renté,
Tombeaux et lupanars [1] montrent sous leurs charmilles
Un lit que le remords n'a jamais fréquenté.

Et la bière et l'alcôve en blasphèmes fécondes
10   Nous offrent tour à tour, comme deux bonnes sœurs,
De terribles plaisirs et d'affreuses douceurs.

Quand veux-tu m'enterrer, Débauche aux bras immondes?
Ô Mort, quand viendras-tu, sa rivale en attraits,
Sur ses myrtes [2] infects enter [3] tes noirs cyprès [4]?

---

1. **Lupanars**: maisons closes, lieux de prostitution.
2. **Myrtes**: arbustes consacrés à Vénus, déesse de l'Amour chez les Romains.
3. **Enter**: greffer.
4. **Cyprès**: conifères ordinairement présents dans les cimetières.

CXIII
La fontaine de sang

Il me semble parfois que mon sang coule à flots,
Ainsi qu'une fontaine aux rythmiques sanglots,
Je l'entends bien qui coule avec un long murmure,
Mais je me tâte en vain pour trouver la blessure.

5   À travers la cité, comme dans un champ clos,
Il s'en va, transformant les pavés en îlots,
Désaltérant la soif de chaque créature,
Et partout colorant en rouge la nature.

J'ai demandé souvent à des vins captieux[1]
10 D'endormir pour un jour la terreur qui me mine;
Le vin rend l'œil plus clair et l'oreille plus fine!

J'ai cherché dans l'amour un sommeil oublieux;
Mais l'amour n'est pour moi qu'un matelas d'aiguilles
Fait pour donner à boire à ces cruelles filles!

---

1. Captieux: qui trompent, qui induisent en erreur. Ici, qui enivrent.

CXIV
Allégorie

C'est une femme belle et de riche encolure,
Qui laisse dans son vin traîner sa chevelure.
Les griffes de l'amour, les poisons du tripot,
Tout glisse et tout s'émousse au granit de sa peau.
5 Elle rit à la Mort et nargue la Débauche,
Ces monstres dont la main, qui toujours gratte et fauche,
Dans ses jeux destructeurs a pourtant respecté
De ce corps ferme et droit la rude majesté.
Elle marche en déesse et repose en sultane ;
10 Elle a dans le plaisir la foi mahométane [1],
Et dans ses bras ouverts, que remplissent ses seins,
Elle appelle des yeux la race des humains.
Elle croit, elle sait, cette vierge inféconde
Et pourtant nécessaire à la marche du monde,
15 Que la beauté du corps est un sublime don
Qui de toute infamie arrache le pardon.
Elle ignore l'Enfer comme le Purgatoire,
Et quand l'heure viendra d'entrer dans la Nuit noire,
Elle regardera la face de la Mort,
20 Ainsi qu'un nouveau-né, – sans haine et sans remord [2].

---

1. Mahométane : musulmane.
2. Remord : écrit ainsi pour les besoins de la rime (licence poétique).

CXV
La Béatrice[1]

Dans des terrains cendreux, calcinés, sans verdure,
Comme je me plaignais un jour à la nature,
Et que de ma pensée, en vaguant[2] au hasard,
J'aiguisais lentement sur mon cœur le poignard,
5   Je vis en plein midi descendre sur ma tête
Un nuage funèbre et gros d'une tempête,
Qui portait un troupeau de démons vicieux,
Semblables à des nains cruels et curieux.
À me considérer froidement ils se mirent,
10   Et, comme des passants sur un fou qu'ils admirent,
Je les entendis rire et chuchoter entre eux,
En échangeant maint signe et maint clignement d'yeux :

– « Contemplons à loisir cette caricature
Et cette ombre d'Hamlet[3] imitant sa posture,
15   Le regard indécis et les cheveux au vent.
N'est-ce pas grand'pitié de voir ce bon vivant,
Ce gueux, cet histrion[4] en vacances, ce drôle,
Parce qu'il sait jouer artistement son rôle,
Vouloir intéresser au chant de ses douleurs
20   Les aigles, les grillons, les ruisseaux et les fleurs,
Et même à nous, auteurs de ces vieilles rubriques[5],
Réciter en hurlant ses tirades publiques ? »

---

1. La Béatrice : dans la *Vita Nova* comme dans la *Divine Comédie*, Béatrice est la muse du poète Dante.
2. En vaguant : en errant.
3. Hamlet : allusion au personnage de la pièce de Shakespeare, *Hamlet*, homme sombre et pensif qui s'abandonne à ses rêveries.
4. Histrion : mauvais comédien.
5. Rubriques : au sens ancien de « ruses ».

J'aurais pu (mon orgueil aussi haut que les monts
Domine la nuée et le cri des démons)
25   Détourner simplement ma tête souveraine,
Si je n'eusse pas vu parmi leur troupe obscène,
Crime qui n'a pas fait chanceler le soleil !
La reine de mon cœur au regard nonpareil,
Qui riait avec eux de ma sombre détresse
30   Et leur versait parfois quelque sale caresse.

CXVI
Un voyage à Cythère[1]

Mon cœur, comme un oiseau, voltigeait tout joyeux
Et planait librement à l'entour des cordages ;
Le navire roulait sous un ciel sans nuages,
Comme un ange enivré d'un soleil radieux.

5   Quelle est cette île triste et noire ? – C'est Cythère,
Nous dit-on, un pays fameux dans les chansons,
Eldorado[2] banal de tous les vieux garçons.
Regardez, après tout, c'est une pauvre terre.

---

1. Cythère : île de Grèce qui passait pour être le site de Vénus, lieu consacré à l'amour et aux plaisirs.
2. Eldorado : pays imaginaire, pays « doré » où abonde la richesse.

    – Île des doux secrets et des fêtes du cœur !

10 De l'antique Vénus le superbe fantôme
Au-dessus de tes mers plane comme un arome,
Et charge les esprits d'amour et de langueur.

Belle île aux myrtes verts, pleine de fleurs écloses,
Vénérée à jamais par toute nation,

15 Où les soupirs des cœurs en adoration
Roulent comme l'encens sur un jardin de roses

Ou le roucoulement éternel d'un ramier [1] !
– Cythère n'était plus qu'un terrain des plus maigres,
Un désert rocailleux troublé par des cris aigres.

20 J'entrevoyais pourtant un objet singulier !

Ce n'était pas un temple aux ombres bocagères,
Où la jeune prêtresse, amoureuse des fleurs,
Allait, le corps brûlé de secrètes chaleurs,
Entrebâillant sa robe aux brises passagères ;

25 Mais voilà qu'en rasant la côte d'assez près
Pour troubler les oiseaux avec nos voiles blanches,
Nous vîmes que c'était un gibet [2] à trois branches,
Du ciel se détachant en noir, comme un cyprès.

De féroces oiseaux perchés sur leur pâture

30 Détruisaient avec rage un pendu déjà mûr,
Chacun plantant, comme un outil, son bec impur
Dans tous les coins saignants de cette pourriture ;

---

1. Ramier : pigeon.
2. Gibet : potence utilisée pour les pendaisons.

Les yeux étaient deux trous, et du ventre effondré
Les intestins pesants lui coulaient sur les cuisses,
35 Et ses bourreaux, gorgés de hideuses délices,
L'avaient à coups de bec absolument châtré.

Sous les pieds, un troupeau de jaloux quadrupèdes,
Le museau relevé, tournoyait et rôdait;
Une plus grande bête au milieu s'agitait
40 Comme un exécuteur entouré de ses aides.

Habitant de Cythère, enfant d'un ciel si beau,
Silencieusement tu souffrais ces insultes
En expiation de tes infâmes cultes
Et des péchés qui t'ont interdit le tombeau.

45 Ridicule pendu, tes douleurs sont les miennes!
Je sentis, à l'aspect de tes membres flottants,
Comme un vomissement, remonter vers mes dents
Le long fleuve de fiel des douleurs anciennes;

Devant toi, pauvre diable au souvenir si cher,
50 J'ai senti tous les becs et toutes les mâchoires
Des corbeaux lancinants et des panthères noires
Qui jadis aimaient tant à triturer ma chair.

– Le ciel était charmant, la mer était unie;
Pour moi tout était noir et sanglant désormais,
55 Hélas! et j'avais, comme en un suaire épais,
Le cœur enseveli dans cette allégorie.

Dans ton île, ô Vénus! je n'ai trouvé debout
Qu'un gibet symbolique où pendait mon image…
– Ah! Seigneur! donnez-moi la force et le courage
60 De contempler mon cœur et mon corps sans dégoût!

CXVII
L'amour et le crâne
Vieux cul-de-lampe[1]

L'Amour est assis sur le crâne
De l'Humanité,
Et sur ce trône le profane,
Au rire effronté,

5   Souffle gaiement des bulles rondes
Qui montent dans l'air,
Comme pour rejoindre les mondes
Au fond de l'éther.

Le globe lumineux et frêle
10   Prend un grand essor,
Crève et crache son âme grêle
Comme un songe d'or.

J'entends le crâne à chaque bulle
Prier et gémir :
15   – « Ce jeu féroce et ridicule,
Quand doit-il finir ?

Car ce que ta bouche cruelle
Éparpille en l'air,
Monstre assassin, c'est ma cervelle,
20   Mon sang et ma chair ! »

---

1. Cul-de-lampe : vignette figurant à la fin d'un chapitre, dans le lexique de la typographie.

Pour comprendre l'essentiel

La paradis de l'ivresse

❶ Dans « Tableaux parisiens », la communion, l'empathie avec
les déshérités de la capitale n'a pas apporté l'apaisement au poète;
la misère de l'Ennui demeure et, avec elle, l'emprise des démons qui
l'obsèdent. Essayez de préciser en quoi la section « Le vin » se présente
comme une nouvelle tentative de dépassement du spleen.

❷ Baudelaire accorde des pouvoirs bienfaisants à l'ivresse. Présentez
ces différentes vertus en un paragraphe argumenté. Vous citerez plusieurs
vers pour illustrer votre propos.

❸ Le dernier poème de la section, « Le vin des amants » (CVIII, p. 167)
se présente comme un hymne à l'ivresse. Montrez-le en vous appuyant sur
le lexique et les images de ce sonnet.

L'enfer de l'ivresse

❹ Si Baudelaire reconnaît à l'ivresse un pouvoir transfigurant, il est
également lucide sur ses limites et sur les limites de l'évasion
qu'elle procure. Rassemblez et analysez les expressions ou les vers
qui le prouvent.

❺ Dans le premier tercet du sonnet «La fontaine de sang» (CXIII, v. 9 à 11, p. 176), Baudelaire reconnaît le caractère trompeur des effets du vin. Analysez ces trois vers afin de mettre cette caractéristique en évidence.

❻ Baudelaire établit en définitive une association entre le vin et la mort. Montrez-le en vous appuyant sur «Le vin de l'assassin» (CVI, p. 164).

L'abîme du vice

❼ La section «Fleurs du mal» consacre l'impossibilité du progrès vers la lumière et le retour triomphant de l'Ennui. Appuyez-vous sur l'analyse du sonnet initial, «La destruction» (CIX, p. 170), pour le montrer.

❽ «Fleurs du mal» couronne l'alliance de l'amour et de la mort, de la poésie et du mal. Citez les poèmes qui vous sembleront le mieux révéler cette alliance macabre accompagnée d'un enlisement dans la débauche et le vice et analysez quelques fragments significatifs.

❾ «Un voyage à Cythère» (CXVI, p. 179) est construit sur le renversement d'un Eldorado en un univers de désolation et d'horreur, que le poète présente avec dérision. Montrez-le en relevant quelques exemples de l'ironie de Baudelaire.

Rappelez-vous!

• Ces deux parties du recueil, «Le vin» et «Fleurs du mal», concentrent les traits dominants d'une **poésie du mal.** L'enlisement dans le vice y apparaît comme une épreuve nécessaire: incapable de fuir le réel et ses blessures, le poète sombre dans la damnation afin d'y puiser l'oubli et l'ivresse de l'infini. L'éloge des **«paradis artificiels»** s'explique par ce goût de la perte et de la destruction.

• En redoublant le titre du recueil et ses résonances sataniques, la section «Fleurs du mal» renforce la note de la **malédiction.** Plus aucune issue ne s'offrant à la conscience, l'homme choisit de s'enfoncer, en toute lucidité, dans le Mal.

Vers l'oral du bac

Analyse d'un extrait du poème CXV, « La Béatrice »,
v. 13-22, p. 178

☛ Analyser la façon dont la satire conspire, dans ces vers, à la destruction de la figure du poète

Conseils pour la lecture à voix haute

– Souvenez-vous que vous avez affaire à un discours fictif, prêté à
des personnages identifiés par l'expression «troupeau de démons
vicieux» (v. 7). Votre lecture soulignera donc le caractère moqueur de la
tirade, ce qui vous amènera, par exemple, à bien marquer l'intonation de
l'interrogation oratoire «N'est-ce pas grand'pitié...» (v. 16).

– En lisant la longue phrase qui s'étend du vers 16 à la fin de la tirade,
vous veillerez à rendre compte de sa construction, notamment de
l'emboîtement des verbes à l'infinitif.

Analyse du texte

■ *Introduction rédigée*

Appartenant à la section «Fleurs du mal», «La Béatrice» participe
pleinement de l'intensification du mal enregistrée à ce stade
du recueil, et plus particulièrement du thème négatif de la destruction. Ici, il
s'agit de détruire le poète, tel qu'il se présente dans toute la pureté de sa
vocation. Le poème entreprend de rabaisser cette figure clé en mettant en
scène une petite comédie satirique: des démons encerclent le poète et se
livrent à un persiflage corrosif avant que n'apparaisse, parmi les moqueurs,
la femme aimée, la muse même. C'est là le comble de la cruauté.

On verra, après avoir étudié les aspects satiriques de la tirade des «démons vicieux», que s'opère dans ces vers un renversement de la figure du poète, tourné en dérision et réduit à un histrion caricatural.

■ *Analyse guidée*

I. Une tirade satirique

a. La composition du discours des «démons» repose sur deux temps forts. En vous appuyant sur l'analyse des phrases, montrez comment se marque cette structuration.

b. Ce texte est ouvertement satirique. Relevez les indices de la raillerie ou de la critique moqueuse dans ce passage en précisant les aspects de la personne du poète sur lesquels ils portent.

c. La satire peut aller jusqu'à l'injure. Relevez et analysez une formule qui vous paraît injurieuse.

II. Le jeu cruel de la dérision

a. Une stratégie du renversement est mise en œuvre dans cet extrait. Pour le montrer, vous expliciterez en particulier les sous-entendus de l'impératif «Contemplons» (v. 13) et donnerez la signification de l'expression «bon vivant» (v. 16).

b. Hamlet est le héros d'une tragédie de Shakespeare, qui refuse l'action pour se consacrer à la méditation métaphysique et à la poésie. Expliquez pourquoi, selon vous, le poète est qualifié ici d'«ombre d'Hamlet» (v. 14).

c. La dérision suprême consiste à déprécier l'authenticité du chant lyrique. Montrez-le en vous appuyant sur l'analyse des vers 21-22.

III. Une caricature du poète

a. Tout concourt à disqualifier la figure noble du poète. Montrez que la vocation poétique est cible privilégiée du discours.

b. Le poète apparaît comme un être dégradé. Analysez les marques de l'humour dans le rapide portrait qui est brossé de lui au vers 15 et expliquez le vers 18: «Parce qu'il sait jouer artistement son rôle».

c. L'accusation des démons repose sur un constat d'imposture. Dites dans quelle mesure on peut dire que ce texte est une parodie.

■ *Conclusion rédigée*

Dérision totale du poète et de son chant, ce poème apparaît bien comme
une tentative de retournement ironique de la poésie et de ses valeurs.
Tel est l'effet du mal que de tout pervertir. Le portrait qui est offert du
poète lyrique vire ainsi à la caricature, à la parodie : celui-ci se révèle
un être factice et ridicule. L'auditoire satanique qui l'entoure semble lui
déclarer que l'expression de la douleur est toujours une pose, un rôle.
Baudelaire a ainsi choisi de mettre en scène le poète qu'il est sous un jour
totalement défavorable, non point pour nier les vertus de la poésie, mais
au contraire pour mieux faire ressortir l'hostilité et l'incompréhension
auxquelles il se heurte dans une société bourgeoise qui, n'ayant que faire
du poète et de ses chants, préfère à la compassion sincère la raillerie
agressive. Baudelaire renvoie à ses contemporains l'image négative du
poète qu'ils ont eux-mêmes forgée. Là réside l'ironie suprême de ce texte.

Les trois questions de l'examinateur

Question 1. Cet extrait de « La Béatrice » illustre la condition maudite
du poète moderne. Rapprochez ce poème d'autres textes des *Fleurs du
mal* qui évoquent la figure du poète sous l'angle du portrait ou
de l'autoportrait et précisez la vision que Baudelaire propose du poète.

Question 2. Dans son journal intime, Baudelaire dit de l'ironie qu'elle est
« une qualité littéraire fondamentale ». En prenant appui sur l'analyse
des vers 18-20, vous direz si ce jugement confirme votre lecture de
cet extrait.

Question 3. On considère habituellement que le lyrisme est incompatible
avec l'ironie. Dites dans quelle mesure ce passage vous permet
de remettre en question cette opposition.

RÉVOLTE

CXVIII
Le reniement de saint Pierre [1]

Qu'est-ce que Dieu fait donc de ce flot d'anathèmes [2]
Qui monte tous les jours vers ses chers Séraphins [3] ?
Comme un tyran gorgé de viande et de vins,
Il s'endort au doux bruit de nos affreux blasphèmes.

5   Les sanglots des martyrs et des suppliciés
Sont une symphonie enivrante sans doute,
Puisque, malgré le sang que leur volupté coûte,
Les cieux ne s'en sont point encore rassasiés !

– Ah ! Jésus, souviens-toi du Jardin des Olives [4] !
10 Dans ta simplicité tu priais à genoux
Celui qui dans son ciel riait au bruit des clous
Que d'ignobles bourreaux plantaient dans tes chairs vives,

Lorsque tu vis cracher sur ta divinité
La crapule du corps de garde et des cuisines,
15 Et lorsque tu sentis s'enfoncer les épines
Dans ton crâne où vivait l'immense Humanité ;

Quand de ton corps brisé la pesanteur horrible
Allongeait tes deux bras distendus, que ton sang
Et ta sueur coulaient de ton front pâlissant,
20 Quand tu fus devant tous posé comme une cible,

---

1. **Saint Pierre** : apôtre qui renia le Christ lorsque celui-ci fut arrêté par les Romains.
2. **Anathèmes** : malédictions.
3. **Séraphins** : anges qui sont au premier rang dans la hiérarchie céleste.
4. **Jardin des Olives** : jardin des Oliviers, situé sur les hauteurs de Jérusalem, où Jésus s'était retiré juste avant son arrestation pour implorer Dieu de lui épargner les souffrances auxquelles il était pourtant destiné.

Rêvais-tu de ces jours si brillants et si beaux
Où tu vins pour remplir l'éternelle promesse,
Où tu foulais, monté sur une douce ânesse,
Des chemins tout jonchés de fleurs et de rameaux,

25 Où, le cœur tout gonflé d'espoir et de vaillance,
Tu fouettais tous ces vils marchands à tour de bras,
Où tu fus maître enfin ? Le remords n'a-t-il pas
Pénétré dans ton flanc plus avant que la lance ?

– Certes, je sortirai, quant à moi, satisfait
30 D'un monde où l'action n'est pas la sœur du rêve ;
Puissé-je user du glaive et périr par le glaive !
Saint Pierre a renié Jésus… il a bien fait !

CXIX
Abel et Caïn [1]

I

Race d'Abel, dors, bois et mange ;
Dieu te sourit complaisamment.

Race de Caïn, dans la fange
Rampe et meurs misérablement.

---

1. Abel et Caïn : fils d'Adam et Ève dans La Bible. Jaloux d'Abel, Caïn le tua.

5   Race d'Abel, ton sacrifice
     Flatte le nez du Séraphin !

     Race de Caïn, ton supplice
     Aura-t-il jamais une fin ?

     Race d'Abel, vois tes semailles
10   Et ton bétail venir à bien ;

     Race de Caïn, tes entrailles
     Hurlent la faim comme un vieux chien.

     Race d'Abel, chauffe ton ventre
     À ton foyer patriarcal ;

15   Race de Caïn, dans ton antre
     Tremble de froid, pauvre chacal !

     Race d'Abel, aime et pullule !
     Ton or fait aussi des petits.

     Race de Caïn, cœur qui brûle,
20   Prends garde à ces grands appétits.

     Race d'Abel, tu croîs et broutes
     Comme les punaises des bois !

     Race de Caïn, sur les routes
     Traîne ta famille aux abois.

II

25 Ah ! race d'Abel, ta charogne
Engraissera le sol fumant !

Race de Caïn, ta besogne
N'est pas faite suffisamment ;

Race d'Abel, voici ta honte :
30 Le fer est vaincu par l'épieu !

Race de Caïn, au ciel monte,
Et sur la terre jette Dieu !

CXX
Les litanies de Satan

Ô toi, le plus savant et le plus beau des Anges,
Dieu trahi par le sort et privé de louanges,

Ô Satan, prends pitié de ma longue misère !

Ô Prince de l'exil, à qui l'on a fait tort,
5 Et qui, vaincu, toujours te redresses plus fort,

Ô Satan, prends pitié de ma longue misère !

Toi qui sais tout, grand roi des choses souterraines,
Guérisseur familier des angoisses humaines,

Ô Satan, prends pitié de ma longue misère !

10 Toi qui, même aux lépreux, aux parias maudits,
Enseignes par l'amour le goût du Paradis,

Ô Satan, prends pitié de ma longue misère !

Ô toi qui de la Mort, ta vieille et forte amante,
Engendras l'Espérance, – une folle charmante !

15 Ô Satan, prends pitié de ma longue misère !

Toi qui fais au proscrit ce regard calme et haut
Qui damne tout un peuple autour d'un échafaud,

Ô Satan, prends pitié de ma longue misère !

Toi qui sais en quels coins des terres envieuses
20 Le Dieu jaloux cacha les pierres précieuses,

Ô Satan, prends pitié de ma longue misère !

Toi dont l'œil clair connaît les profonds arsenaux
Où dort enseveli le peuple des métaux,

Ô Satan, prends pitié de ma longue misère !

25 Toi dont la large main cache les précipices
Au somnambule errant au bord des édifices,

Ô Satan, prends pitié de ma longue misère !

Toi qui, magiquement, assouplis les vieux os
De l'ivrogne attardé foulé par les chevaux,

30 Ô Satan, prends pitié de ma longue misère !

Toi qui, pour consoler l'homme frêle qui souffre,
Nous appris à mêler le salpêtre et le soufre,

Ô Satan, prends pitié de ma longue misère !

Toi qui poses ta marque, ô complice subtil,
35 Sur le front du Crésus impitoyable et vil,

Ô Satan, prends pitié de ma longue misère !

Toi qui mets dans les yeux et dans le cœur des filles
Le culte de la plaie et l'amour des guenilles,

Ô Satan, prends pitié de ma longue misère !

40 Bâton des exilés, lampe des inventeurs,
Confesseur des pendus et des conspirateurs,

Ô Satan, prends pitié de ma longue misère !

Père adoptif de ceux qu'en sa noire colère
Du paradis terrestre a chassés Dieu le Père,

45 Ô Satan, prends pitié de ma longue misère !

Prière

Gloire et louange à toi, Satan, dans les hauteurs
Du Ciel, où tu régnas, et dans les profondeurs
De l'Enfer, où, vaincu, tu rêves en silence !
Fais que mon âme un jour, sous l'Arbre de Science,
50 Près de toi se repose, à l'heure où sur ton front
Comme un Temple nouveau ses rameaux s'épandront !

LA MORT

CXXI
La mort des amants

Nous aurons des lits pleins d'odeurs légères,
Des divans profonds comme des tombeaux,
Et d'étranges fleurs sur des étagères,
Écloses pour nous sous des cieux plus beaux.

5   Usant à l'envi [1] leurs chaleurs dernières,
Nos deux cœurs seront deux vastes flambeaux,
Qui réfléchiront leurs doubles lumières
Dans nos deux esprits, ces miroirs jumeaux.

Un soir fait de rose et de bleu mystique,
10 Nous échangerons un éclair unique,
Comme un long sanglot, tout chargé d'adieux ;

Et plus tard un Ange, entr'ouvrant les portes,
Viendra ranimer, fidèle et joyeux,
Les miroirs ternis et les flammes mortes.

---

1. À l'envi : à qui mieux mieux.

CXXII
La mort des pauvres

C'est la Mort qui console, hélas ! et qui fait vivre ;
C'est le but de la vie, et c'est le seul espoir
Qui, comme un élixir[1], nous monte et nous enivre,
Et nous donne le cœur de marcher jusqu'au soir ;

5 À travers la tempête, et la neige, et le givre,
C'est la clarté vibrante à notre horizon noir ;
C'est l'auberge fameuse inscrite sur le livre,
Où l'on pourra manger, et dormir, et s'asseoir ;

C'est un Ange qui tient dans ses doigts magnétiques
10 Le sommeil et le don des rêves extatiques,
Et qui refait le lit des gens pauvres et nus ;

C'est la gloire des Dieux, c'est le grenier mystique,
C'est la bourse du pauvre et sa patrie antique,
C'est le portique ouvert sur les Cieux inconnus !

---

1. **Élixir** : boisson régénérante.

199

CXXIII
La mort des artistes

Combien faut-il de fois secouer mes grelots[1]
Et baiser ton front bas, morne caricature?
Pour piquer dans le but, de mystique nature,
Combien, ô mon carquois[2], perdre de javelots?

5   Nous userons notre âme en de subtils complots,
Et nous démolirons mainte lourde armature[3],
Avant de contempler la grande Créature[4]
Dont l'infernal désir nous remplit de sanglots!

Il en est qui jamais n'ont connu leur Idole,
10 Et ces sculpteurs damnés et marqués d'un affront,
Qui vont se martelant la poitrine et le front,

N'ont qu'un espoir, étrange et sombre Capitole[5]!
C'est que la Mort, planant comme un soleil nouveau,
Fera s'épanouir les fleurs de leur cerveau!

---

1. **Grelots**: allusion aux grelots des bouffons.
2. **Carquois**: étui dans lequel sont rangées les flèches.
3. **Armature**: terme emprunté à la sculpture et désignant l'ossature en métal ou en bois d'une sculpture.
4. **Créature**: sans doute l'œuvre accomplie.
5. **Capitole**: une des sept collines de Rome où se trouvait le temple de Jupiter. Les généraux vainqueurs y achevaient leur procession triomphale.

CXXIV
La fin de la journée

Sous une lumière blafarde
Court, danse et se tord sans raison
La Vie, impudente et criarde.
Aussi, sitôt qu'à l'horizon

5 La nuit voluptueuse monte,
Apaisant tout, même la faim,
Effaçant tout, même la honte,
Le Poète se dit: «Enfin!

Mon esprit, comme mes vertèbres,
10 Invoque ardemment le repos;
Le cœur plein de songes funèbres,

Je vais me coucher sur le dos
Et me rouler dans vos rideaux,
Ô rafraîchissantes ténèbres!»

CXXV
Le rêve d'un curieux

À F. N.[1]

Connais-tu, comme moi, la douleur savoureuse,
Et de toi fais-tu dire : « Oh ! l'homme singulier ! »
– J'allais mourir. C'était dans mon âme amoureuse,
Désir mêlé d'horreur, un mal particulier ;

5   Angoisse et vif espoir, sans humeur factieuse[2].
Plus allait se vidant le fatal sablier,
Plus ma torture était âpre et délicieuse ;
Tout mon cœur s'arrachait au monde familier.

J'étais comme l'enfant avide du spectacle,
10 Haïssant le rideau comme on hait un obstacle...
Enfin la vérité froide se révéla :

J'étais mort sans surprise, et la terrible aurore
M'enveloppait. – Eh quoi ! n'est-ce donc que cela ?
La toile était levée et j'attendais encore.

---

1. À F. N. : ces initiales renvoient au photographe Félix Nadar, ami de Baudelaire depuis 1844.
2. Factieuse : insoumise, rebelle.

CXXVI
Le voyage

À Maxime Du Camp[1].

I

Pour l'enfant, amoureux de cartes et d'estampes,
L'univers est égal à son vaste appétit.
Ah ! que le monde est grand à la clarté des lampes !
Aux yeux du souvenir que le monde est petit !

5   Un matin nous partons, le cerveau plein de flamme,
Le cœur gros de rancune et de désirs amers,
Et nous allons, suivant le rhythme de la lame,
Berçant notre infini sur le fini des mers :

Les uns, joyeux de fuir une patrie infâme ;
10 D'autres, l'horreur de leurs berceaux, et quelques-uns,
Astrologues noyés dans les yeux d'une femme,
La Circé[2] tyrannique aux dangereux parfums.

Pour n'être pas changés en bêtes, ils s'enivrent
D'espace et de lumière et de cieux embrasés ;
15 La glace qui les mord, les soleils qui les cuivrent,
Effacent lentement la marque des baisers.

---

1. **Maxime Du Camp** : écrivain et journaliste, ami de Baudelaire et de Flaubert.
2. **Circé** : célèbre magicienne de *L'Odyssée* qui transforma les compagnons d'Ulysse en pourceaux.

Mais les vrais voyageurs sont ceux-là seuls qui partent
Pour partir; cœurs légers, semblables aux ballons,
De leur fatalité jamais ils ne s'écartent,
20 Et, sans savoir pourquoi, disent toujours: Allons!

Ceux-là dont les désirs ont la forme des nues,
Et qui rêvent, ainsi qu'un conscrit le canon,
De vastes voluptés, changeantes, inconnues,
Et dont l'esprit humain n'a jamais su le nom!

II

25 Nous imitons, horreur! la toupie et la boule
Dans leur valse et leurs bonds; même dans nos sommeils
La Curiosité nous tourmente et nous roule,
Comme un Ange cruel qui fouette des soleils.

Singulière fortune où le but se déplace,
30 Et, n'étant nulle part, peut être n'importe où!
Où l'Homme, dont jamais l'espérance n'est lasse,
Pour trouver le repos court toujours comme un fou!

Notre âme est un trois-mâts cherchant son Icarie[1];
Une voix retentit sur le pont: «Ouvre l'œil!»
35 Une voix de la hune[2], ardente et folle, crie:
«Amour… gloire… bonheur!» Enfer! c'est un écueil!

---

1. **Icarie**: pays imaginaire, patrie d'Icare.
2. **Hune**: plate-forme semi-circulaire fixée au sommet d'un mât sur un navire.

Chaque îlot signalé par l'homme de vigie
Est un Eldorado promis par le Destin ;
L'Imagination qui dresse son orgie
40 Ne trouve qu'un récif aux clartés du matin.

Ô le pauvre amoureux des pays chimériques !
Faut-il le mettre aux fers, le jeter à la mer,
Ce matelot ivrogne, inventeur[1] d'Amériques
Dont le mirage rend le gouffre plus amer ?

45 Tel le vieux vagabond, piétinant dans la boue,
Rêve, le nez en l'air, de brillants paradis ;
Son œil ensorcelé découvre une Capoue[2]
Partout où la chandelle illumine un taudis.

III

Étonnants voyageurs ! quelles nobles histoires
50 Nous lisons dans vos yeux profonds comme les mers !
Montrez-nous les écrins de vos riches mémoires,
Ces bijoux merveilleux, faits d'astres et d'éthers.

Nous voulons voyager sans vapeur et sans voile !
Faites, pour égayer l'ennui de nos prisons,
55 Passer sur nos esprits, tendus comme une toile,
Vos souvenirs avec leurs cadres d'horizons.

Dites, qu'avez-vous vu ?

---

1. **Inventeur** : découvreur.
2. **Capoue** : ville d'Italie considérée comme un lieu idéal.

IV

« Nous avons vu des astres
Et des flots ; nous avons vu des sables aussi ;
Et, malgré bien des chocs et d'imprévus désastres,
60   Nous nous sommes souvent ennuyés, comme ici.

La gloire du soleil sur la mer violette,
La gloire des cités dans le soleil couchant,
Allumaient dans nos cœurs une ardeur inquiète
De plonger dans un ciel au reflet alléchant.

65   Les plus riches cités, les plus grands paysages,
Jamais ne contenaient l'attrait mystérieux
De ceux que le hasard fait avec les nuages.
Et toujours le désir nous rendait soucieux !

— La jouissance ajoute au désir de la force.
70   Désir, vieil arbre à qui le plaisir sert d'engrais,
Cependant que grossit et durcit ton écorce,
Tes branches veulent voir le soleil de plus près !

Grandiras-tu toujours, grand arbre plus vivace
Que le cyprès ? — Pourtant nous avons, avec soin,
75   Cueilli quelques croquis pour votre album vorace,
Frères qui trouvez beau tout ce qui vient de loin !

Nous avons salué des idoles à trompe ;
Des trônes constellés de joyaux lumineux ;
Des palais ouvragés dont la féerique pompe
80   Serait pour vos banquiers un rêve ruineux ;

Des costumes qui sont pour les yeux une ivresse ;
Des femmes dont les dents et les ongles sont teints,
Et des jongleurs savants que le serpent caresse. »

V

Et puis, et puis encore ?

VI

« Ô cerveaux enfantins !

85 Pour ne pas oublier la chose capitale,
Nous avons vu partout, et sans l'avoir cherché,
Du haut jusques en bas de l'échelle fatale,
Le spectacle ennuyeux de l'immortel péché :

La femme, esclave vile, orgueilleuse et stupide,
90 Sans rire s'adorant et s'aimant sans dégoût ;
L'homme, tyran goulu, paillard, dur et cupide,
Esclave de l'esclave et ruisseau dans l'égout ;

Le bourreau qui jouit, le martyr qui sanglote ;
La fête qu'assaisonne et parfume le sang ;
95 Le poison du pouvoir énervant le despote,
Et le peuple amoureux du fouet abrutissant ;

Plusieurs religions semblables à la nôtre,
Toutes escaladant le ciel ; la Sainteté,
Comme en un lit de plume un délicat se vautre,
100 Dans les clous et le crin cherchant la volupté ;

L'Humanité bavarde, ivre de son génie,
Et folle, maintenant comme elle était jadis,
Criant à Dieu, dans sa furibonde agonie :
"Ô mon semblable, ô mon maître, je te maudis !"

105 Et les moins sots, hardis amants de la Démence,
Fuyant le grand troupeau parqué par le Destin,
Et se réfugiant dans l'opium immense !
– Tel est du globe entier l'éternel bulletin. »

VII

Amer savoir, celui qu'on tire du voyage !
110 Le monde, monotone et petit, aujourd'hui,
Hier, demain, toujours, nous fait voir notre image :
Une oasis d'horreur dans un désert d'ennui !

Faut-il partir ? rester ? Si tu peux rester, reste ;
Pars, s'il le faut. L'un court, et l'autre se tapit
115 Pour tromper l'ennemi vigilant et funeste,
Le Temps ! Il est, hélas ! des coureurs sans répit,

Comme le Juif errant[1] et comme les apôtres,
À qui rien ne suffit, ni wagon ni vaisseau,
Pour fuir ce rétiaire[2] infâme ; il en est d'autres
120 Qui savent le tuer sans quitter leur berceau.

Lorsque enfin il mettra le pied sur notre échine,
Nous pourrons espérer et crier : En avant !
De même qu'autrefois nous partions pour la Chine,
Les yeux fixés au large et les cheveux au vent,

---

1. Le Juif errant : allusion au mythe du Juif errant, condamné à sillonner la terre
sans répit.
2. Rétiaire : gladiateur qui combattait muni d'un filet.

125 Nous nous embarquerons sur la mer des Ténèbres
    Avec le cœur joyeux d'un jeune passager.
    Entendez-vous ces voix, charmantes et funèbres,
    Qui chantent: «Par ici! vous qui voulez manger

    Le Lotus parfumé! c'est ici qu'on vendange
130 Les fruits miraculeux dont votre cœur a faim;
    Venez vous enivrer de la douceur étrange
    De cette après-midi qui n'a jamais de fin!»

    À l'accent familier nous devinons le spectre;
    Nos Pylades[1] là-bas tendent leurs bras vers nous.
135 «Pour rafraîchir ton cœur nage vers ton Électre[2]!»
    Dit celle dont jadis nous baisions les genoux.

VIII

    Ô Mort, vieux capitaine, il est temps! levons l'ancre!
    Ce pays nous ennuie, ô Mort! Appareillons!
    Si le ciel et la mer sont noirs comme de l'encre,
140 Nos cœurs que tu connais sont remplis de rayons!

    Verse-nous ton poison pour qu'il nous réconforte!
    Nous voulons, tant ce feu nous brûle le cerveau,
    Plonger au fond du gouffre, Enfer ou Ciel, qu'importe?
    Au fond de l'Inconnu pour trouver du *nouveau*!

---

1. **Pylades**: Pylade est l'ami d'Oreste.
2. **Électre**: sœur d'Oreste à qui elle demanda de tuer leur mère Clytemnestre pour venger le meurtre d'Agamemnon.

Pour comprendre l'essentiel

Les paroles d'un rebelle

❶ « Révolte » présente l'insoumission comme un écartèlement entre des valeurs opposées. Montrez-le en relevant, dans chacun des trois poèmes de la section, des antithèses qui soulignent ce tiraillement de la conscience entre le Bien et le Mal.

❷ Dans l'édition de 1857 des *Fleurs du mal*, « Révolte » précédait « Le vin »; Baudelaire l'a insérée entre « Fleurs du mal » et la dernière section du recueil, « La mort », dans l'édition de 1861. Montrez en quoi la rébellion acquiert ainsi la valeur d'une dernière tentative de libération de l'homme.

❸ Trois figures bibliques incarnent la rébellion contre l'ordre social ou divin dans la section « Révolte ». Étudiez la façon dont Baudelaire promeut ces figures mythiques en vous appuyant sur le lexique (les expressions superlatives, par exemple) et les images.

Prières et récits d'un poète maudit

❹ Les deux poèmes, « Abel et Caïn » (CXIX, p. 191) et « Les litanies de Satan » (CXX, p. 193) adoptent la forme de la prière. Montrez-le en étudiant notamment les marques de l'imploration ou de l'injonction, les vocatifs, les tournures répétitives.

❺ «Le reniement de saint Pierre» (CXVIII, p. 190) comporte un récit. Délimitez-le et analysez-le en précisant l'effet produit par le choix de la deuxième personne, et les interventions du locuteur.

❻ «Le voyage» (CXXVI, p. 203) comporte également un passage à dominante narrative qui rapporte les histoires des «étonnants voyageurs» (parties IV et VI). Analysez la valeur symbolique de ce témoignage du dernier poème des *Fleurs du mal*.

De la conscience individuelle à une morale universelle

❼ Les poèmes de la section «La mort» déclinent des types d'individus qui offrent un tableau de la condition humaine. Repérez ces types humains et montrez qu'ils contribuent à une vision universelle de la mort.

❽ Baudelaire s'adresse aux hommes et réinterprète pour eux les grands mythes qui nourrissent leur imaginaire. Analysez la leçon morale dispensée par les poèmes de «Révolte» et de «La mort».

❾ La mort apparaît victorieuse; elle est la seule issue mais aussi le seul salut. Expliquez dans cette optique les deux derniers vers du recueil en précisant pourquoi, selon vous, le mot «nouveau» est en italiques.

Rappelez-vous!

• Les poèmes qui concluent *Les Fleurs du mal* marquent l'aboutissement d'un drame de la conscience: l'homme qui a en vain cherché à fuir l'ennui et la souffrance se voit confronté au **choix de la révolte ou de la mort.** La religion du mal apparaît ainsi dans toute sa souveraineté; elle débouche inexorablement sur la mort, saut dans l'inconnu.

• L'«hypocrite lecteur» interpellé dans le poème initial est à nouveau sollicité. Les formes poétiques employées par Baudelaire, du **récit** à l'**allégorie** en passant par la **prière,** favorisent l'inclusion du lecteur, représentant d'une humanité déchue dont le poète rappelle l'universelle misère.

Vers l'oral du bac

Analyse du poème CXXI, « La mort des amants », p. 198

☞ Analyser la transfiguration de l'amour dans ce sonnet

Conseils pour la lecture à voix haute

- La lecture s'attachera à mettre en lumière les articulations du poème, et notamment celle du vers 9, « Un soir », qui introduit une indication temporelle et celle du vers 12, « Et plus tard », qui souligne l'enchaînement des événements.
- Vous soulignerez ainsi la dimension narrative du texte (un récit au futur) et le renversement symbolique opéré à partir du premier tercet qui ouvre sur la vision sublimée d'un amour spirituel et mystique promis à l'éternité.

Analyse du texte

■ *Introduction rédigée*

Placé au seuil de la section « La mort », ce sonnet est le poème de la promesse absolue : promesse d'un amour infini dans la mort. Les expériences amoureuses qui ont été évoquées tout au long du recueil sont magnifiées et comme transfigurées par la mort. Baudelaire semble s'inspirer de la tradition de la poésie amoureuse héritée de Pétrarque et de Dante, poètes italiens du Moyen Âge pour lesquels la mort ouvre les portes à un amour qui est béatitude infinie, éternité. Ainsi le poème insiste-t-il sur les motifs de l'union des amants dans le cadre de la vision quasi prophétique d'une utopie amoureuse.

■ *Analyse guidée*

I. La vision prophétique d'un amour idéalisé

a. «La mort des amants» prophétise un amour sublime et incorruptible. Montrez comment le choix des temps verbaux concourt à cette vision prophétique.

b. Le temps de ce poème est celui d'après la vie, un temps délivré des souffrances et de la mélancolie. Dites en quoi ce poème présente le cadre et l'expérience d'un amour idéalisé.

c. Ce sonnet déroule la trame d'une petite histoire de l'amour spirituel. Analysez la composition du poème et soulignez-en les articulations.

II. La fusion des amants

a. Dans ce poème domine le rêve d'un accord parfait entre les deux amants. Relevez et analysez les images qui connotent l'harmonie sensorielle (notations olfactives, visuelles et tactiles).

b. L'harmonie du poème résulte de sa musicalité : sonorités, accents et rythmes des décasyllabes concourent à suggérer un état de plénitude sereine. Montrez-le et analysez en particulier la structure sonore des vers 3 et 14.

c. L'unisson des corps et des âmes est l'expérience centrale de l'amour sublimé. Analysez, dans cette perspective, les connotations attachées à l'expression «un éclair unique» (v. 10).

III. Une spiritualisation de l'amour

a. Le sonnet ménage une progression qui est une élévation. Analysez, pour le montrer, le passage du lexique terrestre et charnel au lexique spirituel.

b. La métaphore de la lumière, qui s'intensifie en un feu ardent, est très présente dans le poème. Dégagez-en les valeurs essentielles.

c. Cet amour idéalisé et quasi divinisé confère aux amants une condition nouvelle. Relisez le deuxième tercet et dites en quoi il consacre la transfiguration de l'amour.

■ *Conclusion rédigée*

La spiritualisation de l'amour est le fait d'un effort d'idéalisation par lequel les aspects inachevés et douloureux du réel sont rachetés. Mythe, sans aucun doute, ou compensation imaginaire, que véhiculent des légendes telles que celles de Tristan et Iseut et qui répond aux attentes profondes des hommes. Baudelaire, dans ce poème, semble faire le pari de l'immortalité mais l'amour évoqué ne perd pas sa nature terrestre et charnelle. Le poète en effet célèbre aussi une passion fusionnelle. Cependant, cette fusion traduit l'union des âmes et transfigure l'amour pour l'élever au rang d'une expérience de l'infini et de l'éternité.

Les trois questions de l'examinateur

Question 1. Ce qui frappe dans «La mort des amants», c'est le caractère ultime, total et extrême de l'amour évoqué, qui ne distingue pas les deux amants mais les assemble sous la forme du pronom «nous». Dites dans quelle mesure on peut dire que ce texte rachète «L'aube spirituelle» (XLVI, p. 68) où la part d'ironie mordante l'emportait sur les illusions de l'idéal.

Question 2. Le sonnet doit présenter toutes les combinaisons de rimes possibles. Baudelaire, qui multiplie les sonnets dans *Les Fleurs du mal*, multiplie également les schémas de composition. Analysez la disposition des rimes dans ce poème, comparez-la à celles des quatre autres sonnets de la section «La mort» et précisez sur quel point porte ici l'irrégularité.

Question 3. L'évocation de l'amour spiritualisé repose sur un volet d'images appropriées, comme celles de la lumière et du feu. En vous appuyant sur ce réseau métaphorique, relisez «Parfum exotique» (XXII, p. 40), «Le balcon» (XXXVI, p. 55), «Le flambeau vivant» (XLIII, p. 64) et dites quelle place singulière occupe «La mort des amants» dans l'ensemble des poèmes amoureux des *Fleurs du mal*.

PIÈCES CONDAMNÉES

Lesbos[1]

Mère des jeux latins et des voluptés grecques,
Lesbos, où les baisers, languissants ou joyeux,
Chauds comme les soleils, frais comme les pastèques,
Font l'ornement des nuits et des jours glorieux,
5   Mère des jeux latins et des voluptés grecques,

Lesbos, où les baisers sont comme les cascades
Qui se jettent sans peur dans les gouffres sans fonds,
Et courent, sanglotant et gloussant par saccades,
Orageux et secrets, fourmillants et profonds ;
10   Lesbos, où les baisers sont comme les cascades !

Lesbos, où les Phrynés[2] l'une l'autre s'attirent,
Où jamais un soupir ne resta sans écho,
À l'égal de Paphos[3] les étoiles t'admirent,
Et Vénus à bon droit peut jalouser Sapho[4] !
15   Lesbos, où les Phrynés l'une l'autre s'attirent,

Lesbos, terre des nuits chaudes et langoureuses,
Qui font qu'à leurs miroirs, stérile volupté !
Les filles aux yeux creux, de leurs corps amoureuses,
Caressent les fruits mûrs de leur nubilité ;
20   Lesbos, terre des nuits chaudes et langoureuses,

---

1. Lesbos : île grecque.
2. Phrynés : Phryné était une courtisane grecque d'une beauté exceptionnelle. On raconte que Praxitèle la choisit comme modèle pour réaliser ses Vénus.
3. Paphos : île de la Grèce consacrée à Vénus.
4. Sapho : poétesse grecque du VIIIᵉ siècle avant J.-C. Elle louait, dans ses poèmes lyriques, la beauté des femmes qu'elle aimait.

Laisse du vieux Platon[1] se froncer l'œil austère ;
Tu tires ton pardon de l'excès des baisers,
Reine du doux empire, aimable et noble terre,
Et des raffinements toujours inépuisés.
25   Laisse du vieux Platon se froncer l'œil austère.

Tu tires ton pardon de l'éternel martyre,
Infligé sans relâche aux cœurs ambitieux,
Qu'attire loin de nous le radieux sourire
Entrevu vaguement au bord des autres cieux !
30   Tu tires ton pardon de l'éternel martyre !

Qui des Dieux osera, Lesbos, être ton juge
Et condamner ton front pâli dans les travaux,
Si ses balances d'or n'ont pesé le déluge
De larmes qu'à la mer ont versé tes ruisseaux ?
35   Qui des Dieux osera, Lesbos, être ton juge ?

Que nous veulent les lois du juste et de l'injuste ?
Vierges au cœur sublime, honneur de l'archipe[1],
Votre religion comme une autre est auguste,
Et l'amour se rira de l'Enfer et du Ciel !
40   Que nous veulent les lois du juste et de l'injuste ?

Car Lesbos entre tous m'a choisi sur la terre
Pour chanter le secret de ses vierges en fleur,
Et je fus dès l'enfance admis au noir mystère
Des rires effrénés mêlés aux sombres pleurs ;
45   Car Lesbos entre tous m'a choisi sur la terre.

---

1.   **Platon** : philosophe grec du Ve siècle avant J.-C.

Et depuis lors je veille au sommet de Leucate[1],
Comme une sentinelle à l'œil perçant et sûr,
Qui guette nuit et jour brick[2], tartane[3] ou frégate,
Dont les formes au loin frissonnent dans l'azur ;
50   Et depuis lors je veille au sommet de Leucate

Pour savoir si la mer est indulgente et bonne,
Et parmi les sanglots dont le roc retentit
Un soir ramènera vers Lesbos, qui pardonne,
Le cadavre adoré de Sapho, qui partit
55   Pour savoir si la mer est indulgente et bonne !

De la mâle Sapho, l'amante et le poète,
Plus belle que Vénus par ses mornes pâleurs !
– L'œil d'azur est vaincu par l'œil noir que tachette
Le cercle ténébreux tracé par les douleurs
60   De la mâle Sapho, l'amante et le poète !

– Plus belle que Vénus se dressant sur le monde
Et versant les trésors de sa sérénité
Et le rayonnement de sa jeunesse blonde
Sur le vieil Océan de sa fille enchanté ;
65   Plus belle que Vénus se dressant sur le monde !

– De Sapho qui mourut le jour de son blasphème,
Quand, insultant le rite et le culte inventé,
Elle fit son beau corps la pâture suprême
D'un brutal dont l'orgueil punit l'impiété
70   De celle qui mourut le jour de son blasphème.

---

1. Leucate : Leucade est une des îles ioniennes du sommet de laquelle on jetait les condamnés à mort.
2. Brick : bateau à voiles.
3. Tartane : embarcation à voile de la Méditerranée.

Et c'est depuis ce temps que Lesbos se lamente,
Et, malgré les honneurs que lui rend l'univers,
S'enivre chaque nuit du cri de la tourmente
Que poussent vers les cieux ses rivages déserts !
75   Et c'est depuis ce temps que Lesbos se lamente !

Femmes damnées

Delphine et Hippolyte

À la pâle clarté des lampes languissantes,
Sur de profonds coussins tout imprégnés d'odeur,
Hippolyte rêvait aux caresses puissantes
Qui levaient le rideau de sa jeune candeur.

5   Elle cherchait, d'un œil troublé par la tempête,
De sa naïveté le ciel déjà lointain,
Ainsi qu'un voyageur qui retourne la tête
Vers les horizons bleus dépassés le matin.

De ses yeux amortis les paresseuses larmes,
10 L'air brisé, la stupeur, la morne volupté,
Ses bras vaincus, jetés comme de vaines armes,
Tout servait, tout parait sa fragile beauté.

Étendue à ses pieds, calme et pleine de joie,
Delphine la couvait avec des yeux ardents,
15 Comme un animal fort qui surveille une proie,
Après l'avoir d'abord marquée avec les dents.

Beauté forte à genoux devant la beauté frêle,
Superbe, elle humait voluptueusement
Le vin de son triomphe, et s'allongeait vers elle,
20 Comme pour recueillir un doux remercîment.

Elle cherchait dans l'œil de sa pâle victime
Le cantique muet que chante le plaisir,
Et cette gratitude infinie et sublime
Qui sort de la paupière ainsi qu'un long soupir.

25 – « Hippolyte, cher cœur, que dis-tu de ces choses?
Comprends-tu maintenant qu'il ne faut pas offrir
L'holocauste[1] sacré de tes premières roses
Aux souffles violents qui pourraient les flétrir?

Mes baisers sont légers comme ces éphémères
30 Qui caressent le soir les grands lacs transparents,
Et ceux de ton amant creuseront leurs ornières
Comme des chariots ou des socs déchirants;

Ils passeront sur toi comme un lourd attelage
De chevaux et de bœufs aux sabots sans pitié....
35 Hippolyte, ô ma sœur! tourne donc ton visage,
Toi, mon âme et mon cœur, mon tout et ma moitié,

Tourne vers moi tes yeux pleins d'azur et d'étoiles!
Pour un de ces regards charmants, baume divin,
Des plaisirs plus obscurs je lèverai les voiles
40 Et je t'endormirai dans un rêve sans fin! »

---

1. **Holocauste**: sacrifice.

Mais Hippolyte alors, levant sa jeune tête :
– « Je ne suis point ingrate et ne me repens pas,
Ma Delphine, je souffre et je suis inquiète,
Comme après un nocturne et terrible repas.

45 Je sens fondre sur moi de lourdes épouvantes
Et de noirs bataillons de fantômes épars,
Qui veulent me conduire en des routes mouvantes
Qu'un horizon sanglant ferme de toutes parts.

Avons-nous donc commis une action étrange ?
50 Explique, si tu peux, mon trouble et mon effroi :
Je frissonne de peur quand tu me dis : "Mon ange !"
Et cependant je sens ma bouche aller vers toi.

Ne me regarde pas ainsi, toi, ma pensée !
Toi que j'aime à jamais, ma sœur d'élection,
55 Quand même tu serais une embûche dressée,
Et le commencement de ma perdition ! »

Delphine secouant sa crinière tragique,
Et comme trépignant sur le trépied[1] de fer,
L'œil fatal, répondit d'une voix despotique :
60 – « Qui donc devant l'amour ose parler d'enfer ?

Maudit soit à jamais le rêveur inutile
Qui voulut le premier, dans sa stupidité,
S'éprenant d'un problème insoluble et stérile,
Aux choses de l'amour mêler l'honnêteté ! »

---

1. Trépied : il s'agit du trépied de la Pythie de Delphes, qui rendait ses oracles dans une espèce de fureur sacrée.

65 Celui qui veut unir dans un accord mystique
L'ombre avec la chaleur, la nuit avec le jour,
Ne chauffera jamais son corps paralytique
À ce rouge soleil que l'on nomme l'amour !

Va, si tu veux, chercher un fiancé stupide ;
70 Cours offrir un cœur vierge à ses cruels baisers ;
Et, pleine de remords et d'horreur, et livide,
Tu me rapporteras tes seins stigmatisés…

On ne peut ici-bas contenter qu'un seul maître ! »
Mais l'enfant, épanchant une immense douleur,
75 Cria soudain : – « Je sens s'élargir dans mon être
Un abîme béant ; cet abîme est mon cœur !

Brûlant comme un volcan, profond comme le vide !
Rien ne rassasiera ce monstre gémissant
Et ne rafraîchira la soif de l'Euménide[1]
80 Qui, la torche à la main, le brûle jusqu'au sang.

Que nos rideaux fermés nous séparent du monde,
Et que la lassitude amène le repos !
Je veux m'anéantir dans ta gorge profonde
Et trouver sur ton sein la fraîcheur des tombeaux ! »

85 – Descendez, descendez, lamentables victimes,
Descendez le chemin de l'enfer éternel !
Plongez au plus profond du gouffre, où tous les crimes,
Flagellés par un vent qui ne vient pas du ciel,

---

1. **Euménide** : furie de la mémoire et de la vengeance.

Bouillonnent pêle-mêle avec un bruit d'orage.
90 Ombres folles, courez au but de vos désirs ;
Jamais vous ne pourrez assouvir votre rage,
Et votre châtiment naîtra de vos plaisirs.

Jamais un rayon frais n'éclaira vos cavernes ;
Par les fentes des murs des miasmes fiévreux
95 Filent en s'enflammant ainsi que des lanternes
Et pénètrent vos corps de leurs parfums affreux.

L'âpre stérilité de votre jouissance
Altère votre soif et roidit votre peau,
Et le vent furibond de la concupiscence
100 Fait claquer votre chair ainsi qu'un vieux drapeau.

Loin des peuples vivants, errantes, condamnées,
À travers les déserts courez comme les loups ;
Faites votre destin, âmes désordonnées,
Et fuyez l'infini que vous portez en vous !

Le Léthé [1]

Viens sur mon cœur, âme cruelle et sourde,
Tigre adoré, monstre aux airs indolents ;
Je veux longtemps plonger mes doigts tremblants
Dans l'épaisseur de ta crinière lourde ;

5   Dans tes jupons remplis de ton parfum
Ensevelir ma tête endolorie,
Et respirer, comme une fleur flétrie,
Le doux relent de mon amour défunt.

Je veux dormir ! dormir plutôt que vivre !
10 Dans un sommeil, aussi doux que la mort,
J'étalerai mes baisers sans remords
Sur ton beau corps poli comme le cuivre.

Pour engloutir mes sanglots apaisés
Rien ne me vaut l'abîme de ta couche ;
15 L'oubli puissant habite sur ta bouche,
Et le Léthé coule dans tes baisers.

À mon destin, désormais mon délice,
J'obéirai comme un prédestiné ;
Martyr docile, innocent condamné,
20 Dont la ferveur attise le supplice,

Je sucerai, pour noyer ma rancœur,
Le népenthès [2] et la bonne ciguë
Aux bouts charmants de cette gorge aiguë,
Qui n'a jamais emprisonné de cœur.

---

1. **Léthé** : fleuve infernal de l'oubli.
2. **Népenthès** : breuvage qui, selon Homère, avait la propriété de dissiper le chagrin.

À celle qui est trop gaie

Ta tête, ton geste, ton air
Sont beaux comme un beau paysage ;
Le rire joue en ton visage
Comme un vent frais dans un ciel clair.

5 Le passant chagrin que tu frôles
Est ébloui par la santé
Qui jaillit comme une clarté
De tes bras et de tes épaules.

Les retentissantes couleurs
10 Dont tu parsèmes tes toilettes
Jettent dans l'esprit des poètes
L'image d'un ballet de fleurs.

Ces robes folles sont l'emblème
De ton esprit bariolé ;
15 Folle dont je suis affolé,
Je te hais autant que je t'aime !

Quelquefois dans un beau jardin
Où je traînais mon atonie,
J'ai senti, comme une ironie,
20 Le soleil déchirer mon sein ;

Et le printemps et la verdure
Ont tant humilié mon cœur,
Que j'ai puni sur une fleur
L'insolence de la Nature.

25   Ainsi je voudrais, une nuit,
    Quand l'heure des voluptés sonne,
    Vers les trésors de ta personne,
    Comme un lâche, ramper sans bruit,

    Pour châtier ta chair joyeuse,
30   Pour meurtrir ton sein pardonné,
    Et faire à ton flanc étonné
    Une blessure large et creuse,

    Et, vertigineuse douceur !
    À travers ces lèvres nouvelles,
35   Plus éclatantes et plus belles,
    T'infuser mon venin, ma sœur !

Les bijoux

La très chère était nue, et, connaissant mon cœur,
Elle n'avait gardé que ses bijoux sonores,
Dont le riche attirail lui donnait l'air vainqueur
Qu'ont dans leurs jours heureux les esclaves des Mores[1].

5 Quand il jette en dansant son bruit vif et moqueur,
Ce monde rayonnant de métal et de pierre
Me ravit en extase, et j'aime à la fureur
Les choses où le son se mêle à la lumière.

----

1. Mores : pour Maures, synonyme d'Arabes.

Elle était donc couchée et se laissait aimer,
10   Et du haut du divan elle souriait d'aise
À mon amour profond et doux comme la mer,
Qui vers elle montait comme vers sa falaise.

Les yeux fixés sur moi, comme un tigre dompté,
D'un air vague et rêveur elle essayait des poses,
15   Et la candeur unie à la lubricité
Donnait un charme neuf à ses métamorphoses ;

Et son bras et sa jambe, et sa cuisse et ses reins,
Polis comme de l'huile, onduleux comme un cygne,
Passaient devant mes yeux clairvoyants et sereins ;
20   Et son ventre et ses seins, ces grappes de ma vigne,

S'avançaient, plus câlins que les Anges du mal,
Pour troubler le repos où mon âme était mise,
Et pour la déranger du rocher de cristal
Où, calme et solitaire, elle s'était assise.

25   Je croyais voir unis par un nouveau dessin
Les hanches de l'Antiope [1] au buste d'un imberbe,
Tant sa taille faisait ressortir son bassin.
Sur ce teint fauve et brun le fard était superbe !

– Et la lampe s'étant résignée à mourir,
30   Comme le foyer seul illuminait la chambre,
Chaque fois qu'il poussait un flamboyant soupir,
Il inondait de sang cette peau couleur d'ambre !

---

1. **Antiope** : fille de Nyctée, roi de Thèbes ; Zeus la séduisit sous les traits d'un satyre.

Les métamorphoses du vampire

La femme cependant, de sa bouche de fraise,
En se tordant ainsi qu'un serpent sur la braise,
Et pétrissant ses seins sur le fer de son busc[1],
Laissait couler ces mots tout imprégnés de musc :
5 – « Moi, j'ai la lèvre humide, et je sais la science
De perdre au fond d'un lit l'antique conscience.
Je sèche tous les pleurs sur mes seins triomphants,
Et fais rire les vieux du rire des enfants.
Je remplace, pour qui me voit nue et sans voiles,
10 La lune, le soleil, le ciel et les étoiles !
Je suis, mon cher savant, si docte aux voluptés,
Lorsque j'étouffe un homme en mes bras veloutés,
Ou lorsque j'abandonne aux morsures mon buste,
Timide et libertine, et fragile et robuste,
15 Que sur ces matelas qui se pâment d'émoi,
Les anges impuissants se damneraient pour moi ! »

Quand elle eut de mes os sucé toute la moelle,
Et que languissamment je me tournai vers elle
Pour lui rendre un baiser d'amour, je ne vis plus
20 Qu'une outre aux flancs gluants, toute pleine de pus !
Je fermai les deux yeux, dans ma froide épouvante,
Et quand je les rouvris à la clarté vivante,
À mes côtés, au lieu du mannequin puissant
Qui semblait avoir fait provision de sang,
25 Tremblaient confusément des débris de squelette,
Qui d'eux-mêmes rendaient le cri d'une girouette
Ou d'une enseigne, au bout d'une tringle de fer,
Que balance le vent pendant les nuits d'hiver.

---

1. Busc : lame de baleine maintenant le devant d'un corset.

Le tour de l'œuvre en 9 fiches

Sommaire

Baudelaire en 20 dates

1821	Naissance de Baudelaire à Paris.
1827	Mort de son père.
1828	Mariage de sa mère avec M. Aupick.
1839	Bachelier le 12 août.
1840	« Vie libre », vie de bohème.
1842	Héritage de son père. Rencontre de Jeanne Duval.
1844	Placement de Baudelaire sous tutelle judiciaire. Tentative de suicide. Publication des *Salons* de 1845 et de 1846.
1847	Rencontre de Marie Daubrun.
1850	Publication de poèmes dans diverses revues. Annonce du recueil *Les Limbes*.
1852	Passion pour Madame Sabatier.
1854	Traduction par Baudelaire des *Histoires extraordinaires* et des *Nouvelles histoires extraordinaires* d'Edgar Poe.
1855	Publication, dans la *Revue des Deux Mondes*, de dix-huit poèmes sous le titre *Les Fleurs du mal*.
1857	Publication des *Fleurs du mal* (juin). Scandale et procès en correctionnelle (20 août).
1860	Publication des *Paradis artificiels*.
1861	2ᵉ édition des **Fleurs du mal**, comprenant des poèmes inédits et la section « Tableaux parisiens ».
1863	Publication dans *Le Figaro* d'un essai sur Constantin Guys, *Le Peintre de la vie moderne*.
1866	*Les Épaves* (pièces condamnées et autres poèmes). Hospitalisation à Paris de Baudelaire, frappé d'hémiplégie.
1867	Mort de Baudelaire le 31 août.
1868	Mise en vente des *Curiosités esthétiques* et de la 3ᵉ édition des *Fleurs du mal* établie par Théophile Gautier.
1869	Parution de *L'Art romantique*. Édition posthume des *Petits Poèmes en prose* (appelés aussi *Le Spleen de Paris*).

Fiche 2

L'œuvre dans son contexte

Échos d'une vie littéraire

En s'engageant dans la voie de la poésie, Baudelaire épouse une destinée opposée aux valeurs bourgeoises qui le vouera à la **marginalité**: il baigne dans les milieux de la **bohème romantique**, cultive le **goût de la provocation** et de l'**anticonformisme**.

Très tôt il déclare son intention de se rallier au **camp de la modernité** et, dès 1840, établit des relations étroites avec ceux qui vouent à la poésie, à l'imagination et à la beauté un culte inconditionnel. Il se lie ainsi aux poètes du groupe appelé «École normande» et rencontre Gérard de Nerval, Honoré de Balzac, Théodore de Banville et Théophile Gautier (à qui le poète dédiera *Les Fleurs du mal*, voir p. 8-9). En somme, Baudelaire s'inscrit parmi des écrivains qui s'efforcent de prendre leurs **distances par rapport à la grande poésie romantique** illustrée par Alphonse de Lamartine, Alfred de Vigny et Victor Hugo.

De 1840 à 1843, il écrit beaucoup, mais il ne publie pas, refusant par là d'accéder au statut officiel d'auteur; il préfère sa **vie de dandy flâneur** et d'amateur d'art. Les années 1845-1846 le consacreront d'ailleurs comme **critique d'art** et brillant défenseur de la peinture romantique. (voir la fiche 7, p. 240).

L'épisode de 1848

Baudelaire, dandy apparemment indifférent aux espoirs du peuple, a pris part aux journées révolutionnaires de 1848, qui ont entraîné la fin de la Monarchie de Juillet. C'est sa **haine de la classe possédante**, incarnée dans la personne du baron Aupick, son beau-père, qui l'a poussé dans le camp des opposants au «roi-bourgeois», Louis-Philippe.

Baudelaire voit dans **l'insurrection de 1848 une ouverture possible vers un monde meilleur**. Quelques poèmes du recueil témoignent de cette visée utopique, la poésie en général apparaissant par bien des aspects comme une entreprise réparatrice (voyez, par exemple, «Élévation», III, p. 18; «Correspondances», IV, p. 19; «La vie antérieure», XII, p. 29). De même peut-on voir une évocation des peines et des misères du peuple dans certaines pièces de la section «Le vin». Mais face à la révolte populaire, le scepticisme, puis la **déception** l'emportent.

Le coup d'État du 2 décembre 1851, par lequel Louis-Napoléon Bonaparte s'autoproclame Empereur des Français, achève de désespérer Baudelaire.

La structure de l'œuvre

Le poète a soigné l'ordonnance de son recueil, qui se veut un **livre organisé et non une collection de poèmes épars**. Ce **souci de la composition** éclate au jour lorsque Baudelaire entreprend de remanier l'édition de 1857 en vue de la seconde édition des *Fleurs du mal*, celle de 1861 (la nôtre). Dans une lettre adressée à Vigny, en 1861 précisément, il écrit: «Le seul éloge que je sollicite pour ce livre est qu'on reconnaisse qu'il n'est pas un pur album et qu'il a un commencement et une fin».

D'une édition à l'autre

Édition de 1857 (100 poèmes)	Édition de 1861 (126 poèmes)
«Spleen et idéal» (77 poèmes)	«Spleen et idéal» (85 poèmes)
«Fleurs du mal» (12 poèmes)	«Tableaux parisiens» (18 poèmes)
«Révolte» (3 poèmes)	«Le vin» (5 poèmes)
«Le vin» (5 poèmes)	«Fleurs du mal» (9 poèmes)
«La mort» (3 poèmes)	«Révolte» (3 poèmes)
	«La mort» (6 poèmes)

«Spleen et idéal», le premier ensemble de loin le plus abondant du recueil, peut être divisé en **deux parties: l'idéal** (les cinquante-sept premiers poèmes) et **le spleen** (les vingt-huit derniers poèmes).

Au sein du cycle de l'idéal, certains poèmes sont consacrés à l'**art** («Les phares», «La beauté»), d'autres à l'**amour** («La chevelure», «Le balcon») – l'art et l'amour étant définis comme deux manières d'échapper à la pesanteur du réel et à la mélancolie. Les poèmes de l'idéal explorent donc plusieurs perspectives de salut, que les pièces marquées du sceau du spleen viennent contredire ou invalider. Ces dernières sont en effet le lieu de manifestation de la négativité – ennui, angoisse, obsession ravageuse du temps, conscience du mal... –, qui triomphe des projets d'évasion et des élans d'espoir du poète.

Ainsi **la section «Spleen et idéal»**, qui **a peu varié de 1857 à 1861**, articule une antithèse qui reflète la condition double de l'homme moderne déchiré entre Dieu et Satan. La mise en tension de ces deux tendances assure à la première section du recueil sa dynamique propre et motive le cheminement des sections qui suivent: comment sortir de cette opposition fondamentale entre le bien et le mal – et peut-on d'ailleurs en sortir? C'est à ces questions que tentent de répondre les autres parties des *Fleurs du mal*. Et cette fois il est important de mesurer l'écart qui sépare le plan adopté en 1857 de celui qui figure dans le recueil de 1861.

Un parcours de lecture

Dans l'édition de 1857, l'enchaînement des sections montre que, d'emblée, le choix du mal est fait:
- Les poèmes des «**Fleurs du mal**», qui forment un hymne à la passion satanique et à ses dérivés morbides (sadisme, nécrophilie...), en offrent l'illustration éloquente. Le poète épouse la muse démoniaque de la «destruction»: tel est d'ailleurs le titre du poème qui sert de transition entre le spleen et la culture volontaire et appliquée du mal.
- Cette étape donne lieu à une plongée dans la révolte, à la fois théologique et métaphysique, puisque dans la section «**Révolte**» il est bien question d'en finir avec Dieu et avec les valeurs faussement positives qu'il a inspirées. Ici, le poète semble parler au nom de Satan, en qui il voit son maître absolu.
- À cette rébellion, les poèmes de la section «**Le vin**» apportent un léger infléchissement: l'ivresse est un moyen d'évasion et d'apaisement qui permet de fuir momentanément les tortures de l'existence; elle reste cependant rattachée à la problématique du mal, dans la mesure où, étant opposée à la morale commune, elle est aussi la source de comportements criminels (voir «Le vin de l'assassin», par exemple).
- Cette stratégie de fuite est pour ainsi dire prolongée et couronnée par la section finale «**La mort**», qui consacre la mort comme seul mode d'évasion efficace. Une vraie délivrance.

En 1861, Baudelaire bouleverse l'ordre des parties en les enrichissant. Non seulement il introduit, juste après la partie initiale, la **section nouvelle des «Tableaux parisiens»** (composée de huit poèmes extraits de «Spleen et idéal» et de dix autres publiés en revue entre 1857 et 1861), mais de plus il déplace la section «Le vin» et l'intercale entre les «Tableaux parisiens» et «Fleurs du mal».

Ces changements structurels, entre l'édition de 1857 et celle de 1861, induisent des effets de sens:
- Les sections successives «**Tableaux parisiens» et «Le vin**» apparaissent dès lors comme autant de **tentatives de distraction** ou de détournement qui voudraient arracher le poète à la contradiction qui le déchire: mystères de la grande ville d'une part, avec ses rencontres insolites et imprévues, «paradis artificiels» de l'alcool d'autre part. Mais de tels efforts s'avèrent vains.
- **À l'échec du «divertissement» répond le triptyque du mal et de la damnation** («Fleurs du mal», «Révolte», «La mort»), qui ravive le déchirement et engage le poète à faire profession de satanisme. Dans ce contexte, la mort n'est plus conçue comme une délivrance, mais peut-être comme une suprême damnation, car il s'agira encore et toujours de «plonger au fond du gouffre».

Les grands thèmes de l'œuvre

Les trois muses ou les figures de l'amour

Dans «Spleen et idéal», les poèmes consacrés à l'amour laissent deviner trois figures de muses: **Jeanne Duval, Marie Daubrun et Apollonie Sabatier**. À aucun moment cependant ces noms ne sont mentionnés. Ainsi au lieu de parler, comme on le fait souvent à propos de ces «muses», de différents «cycles», mieux vaut considérer que les inspiratrices de Baudelaire donnent naissance à trois modes de représentation distincts de la femme, de ses pouvoirs et de ses vertus.

Le traitement du thème de l'amour – et corrélativement de la figure de la femme – n'est pas dissociable dans un premier temps de l'**évocation des corps et du plaisir sensuel** qu'ils inspirent. C'est «La femme au corps divin, promettant le bonheur» («Le masque», XX, p. 37), dont «Parfum exotique» (XXII, p. 40) par exemple décline les qualités. Le poème «La chevelure» (XXIII, p. 41), véritable hymne à la sensualité féminine, donne la pleine mesure de cette passion voluptueuse. L'amour charnel est conçu comme une expérience de la fusion et de la transgression.

Un autre mode de figuration vient infléchir sensiblement une telle vision de la passion amoureuse. Il s'inscrit entre le poème XLI («Tout entière», p. 62) et le poème XLVIII («Le flacon», p. 69). Cette fois, il s'agit de mettre l'accent sur les **vertus plato-niques d'un amour éthéré**; la femme apparaît revêtue des emblèmes de la pureté et de la noblesse comme dans «Le flambeau vivant» (XLIII, p. 64).

Enfin, l'amour est peint sous les traits d'une **femme à la fois complice et distante**, disponible et récalcitrante. Les poèmes qui évoquent cet amour ambigu forment un ensemble allant de «Le poison» à «À une Madone» (XLIX à LVII, p. 71 à 83). Dans «L'invitation au voyage», par exemple, la femme se présente à la fois comme une sœur attentive et comme une source d'inquiétude. De là résultent un malaise, puis une angoisse, qui menace l'équilibre du cœur et des sens.

Une poésie du déchirement

«À un blasphème j'opposerai des élancements vers le Ciel, écrit Baudelaire à propos des *Fleurs du mal*. Depuis le Commencement de la poésie, tous les volumes de poésie sont ainsi faits». Par cette observation, Baudelaire rappelle qu'il ne peut y avoir de poésie de la conciliation immédiate. Le travail poétique se nourrit nécessairement d'**antithèses violentes**. Histoire d'un **drame de la conscience**, *Les Fleurs du mal* forment le livre du déchirement.

Le titre même du recueil à lui seul contient tout un programme: l'association du mot «fleurs», qui connote plutôt la pureté naturelle, la beauté épanouie, et du mot «mal» suffit à indiquer que, pour Baudelaire, la poésie est le fruit d'une germination maléfique, elle résulte du mal, c'est-à-dire de la condition même de l'homme, comme le rappelle de manière insistante le poème initial « Au lecteur » (p. 10). La question qui traverse le recueil est donc la suivante : est-ce que la poésie pourra surmonter et dépasser le mal ?

Outre l'hypothèse de l'**amour** et de l'**ivresse des sens**, qui permet l'oubli des souffrances, la poésie baudelairienne confie à l'**art** et au **souvenir** le soin d'arracher le poète à sa pénible condition. « Les phares » (VI, p. 21), par exemple, concentre toutes les vertus que Baudelaire reconnaît à la création artistique. Mais sitôt affirmée cette positivité, l'art fait l'objet d'un traitement qui ne laisse plus aucune illusion à la conscience poétique (voyez « La muse malade », VII, p. 24, et « La muse vénale », VIII, p. 25). En somme, le mal reprend le dessus. C'est là encore un effet de l'incessant jeu des antithèses et des contraires dans Les Fleurs du mal.

L'homme inconsolé cherche-t-il **refuge dans le souvenir**, dans la douce lumière de la mémoire ? Il éprouve, dans un premier temps, les bienfaits d'une régénération (comme dans « Mœsta et Errabunda », LXII, p. 96 ou « Je n'ai pas oublié… », XCIX, p. 149). Il y a bien une recherche du temps perdu dans Les Fleurs du mal, la quête d'un remède (voir « La géante », XIX, p. 36 ou « Parfum exotique », XXII, p. 40). Et ce remède serait, en quelque sorte, le **mythe d'un Ailleurs**, d'un au-delà du temps, lieu de l'absolue perfection et de l'harmonie qu'évoquent ces vers

de « L'invitation au voyage » : « Tout y parlerait / À l'âme en secret / Sa douce langue natale » (LIII, v. 24-26, p. 77). Mais encore une fois, **le négatif l'emporte sur la résurrection lumineuse du passé**. Les poèmes des sections « Tableaux parisiens », « Vin » et « La mort » pourraient en effet préfigurer la terrible sentence de Rimbaud « On ne part pas » (Une saison en enfer).

Une poésie du mal

À l'opposition passé/présent ou ici/ailleurs se superpose une autre dichotomie qui articule cette fois **le fini et l'infini**.

Avant d'épouser la mort comme un ultime saut dans l'inconnu, l'expérience active du mal et l'obéissance promise à Satan donnent accès à l'infini tant espéré. C'est une espèce de libération, que consacrent déjà des poèmes comme « Hymne à la Beauté » (XXI, p. 38) ou « Le poison » (XLIX, p. 71). Mais dans les sections « Fleurs du mal » et « Révolte » cet aspect s'intensifie. Le **choix du mal** est conscient et lucide ; il se définit dans une relation d'hostilité aux valeurs du bien et aux dogmes creux d'un Dieu qui est mensonge. De là, dans « Les litanies de Satan » ou « Le reniement de saint Pierre », une **poésie blasphématoire**, qui renouvelle le mythe de Caïn et de la race maudite qui en découle.

L'œuvre dans son objet d'étude : la poésie

Usages du vers

Pour tout lecteur du xixe siècle, la poésie c'est d'abord le vers et son organisation en strophes. *Les Fleurs du mal* rassemblent une **grande variété de mètres** : des vers simples (qui ne comportent pas de césure, comme l'octosyllabe) aux vers complexes (dotés d'une césure, comme le décasyllabe ou l'alexandrin). La poésie se distingue de la prose par le respect de quelques règles élémentaires : le décompte des syllabes, la césure, la rime, ainsi que quelques contraintes liées au **«e» dit muet**. Ce «e» s'efface lorsqu'il est en fin de vers ; à l'intérieur du vers, il est prononcé devant une consonne et s'élide devant une voyelle :

Lors/que/ par/ un/ dé/cret /des/ puis/san/ces/ su/prêm(es)
[...]El/le/ra/va/leain/si/l'é/cu/me/ de/ sa/ hain(e) («Bénédiction», I, v. 1 et 17, p. 14)

La **césure** est une pause marquée en un endroit fixe du vers, qui le divise en deux parties. Le **décasyllabe**, par exemple, est composé de deux parties séparées par une césure placée après la quatrième syllabe accentuée : le schéma en est 4/6.

Dans les caveaux // d'insondables tristesse (4//6)
Où le Destin // m'a déjà relégué (4//6) («Un fantôme», XXXVIII, v. 1 et 2, p. 57)

Cependant, Baudelaire choisit parfois de couper le décasyllabe en 5//5, ce qui est atypique.

Nous aurons des lits // pleins d'odeurs légères (5//5) («La mort des amants», CXXI, v. 1, p. 198)

L'**alexandrin**, quant à lui, renferme une césure médiane qui intervient après la sixième syllabe accentuée ; elle divise le vers en deux parties égales qu'on appelle **hémistiches**.
Nos péchés sont têtus, // nos repentirs sont lâches (6//6) («Au lecteur», v. 5, p. 10)

Cette césure est donnée pour invariable dans la versification classique ; mais Baudelaire s'ingénie, comme Victor Hugo l'a fait avant lui, à introduire plus de mobilité dans le vers de douze syllabes, ainsi que l'atteste le cas du trimètre romantique (vers segmenté en 4//4//4).

«Le jour décroît //; la nuit augment*e; souviens-toi*! (4//4//4) («L'horloge, LXXXV, v. 19, p. 118).

Le goût de la forme

Pour Baudelaire la poésie répond à une **véritable passion de la forme**. De fait, l'importance accordée par exemple à la **forme fixe du sonnet** prouve que, d'une édition à l'autre, le poète a veillé à servir de son mieux une des formes les plus difficiles de la tradition lyrique moderne. C'est une forme brève, condensée, qui de surcroît représente aux yeux de Baudelaire un idéal de variété. Comme il le déclare dans une de ses lettres (18 février 1860, à A. Fraisse) : «Parce que la forme est contraignante, l'idée jaillit plus intense. Tout va bien au Sonnet, la bouffonnerie, la galanterie, la passion, la rêverie, la méditation philosophique. Il y a là la beauté du métal et du minéral bien travaillés ». Baudelaire ne codifie pas les lois de composition du sonnet mais en retient l'économie fulgurante, qui favorise des effets poétiques surprenants, notamment par le soin apporté à la **chute du poème**, à sa conclusion provocante ou inattendue (comme dans «Un fantôme», XXXVIII, p. 57 à 60).

Plus tard, en 1872, Théodore de Banville, qui établira que le sonnet français régulier doit observer la distribution suivante des rimes : ABBA ABBA CC DEDE, dira de cette forme fixe qu'elle «doit ressembler à une comédie bien faite, en ceci que chaque mot des quatrains doit faire deviner [...] le trait final, et que cependant ce trait final doit surprendre le lecteur» (*Petit Traité de poésie française*).

Images : métaphores, symboles et allégories

Convaincu que l'imagination est la «reine des facultés» et que d'elle seule dépend la création poétique, Baudelaire offre avec *Les Fleurs du mal* un univers tout entier dominé par la **puissance des images**. Les figures de style qui consistent à employer les mots dans un sens détourné (tropes) abondent dans ce recueil et ne peuvent être réduites à une fonction ornementale ou rhétorique. Elles sont en effet constitutives de la conscience poétique qui les engendre et reflètent une **vision du monde** authentique et originale. Le vers initial de «Correspondances» (IV, p. 19) instaure un **ordre métaphorique** primordial en affirmant que «La Nature est un temple». À partir de là, se tissent entre le monde naturel et le monde spirituel des rapports grâce auxquels les spectacles du réel peuvent être interprétés en fonction d'une signification secrète et mystique. Ce sens de l'interprétation et du déchiffrement hante la poésie baudelairienne ; il commande le recours fréquent au **symbole** comme dans «L'albatros» (II, p. 17) et surtout à l'**allégorie,** mécanisme figuratif étendu mis au service d'une lecture active du monde, comme dans «Le cygne» (LXXXIX, p. 130).

Si la poésie revêt les traits allégoriques d'une muse («La muse malade» et «La muse vénale», VII et VIII, p. 24 et 25), d'une statue immortelle («La beauté», XVII, p. 34) ou d'une danseuse maléfique et cruelle («Hymne à la beauté», XXI, p. 38), d'autres images se développent dans le recueil qui font du poème le lieu d'une élucidation du sens ayant à la fois une portée subjective et une valeur universelle. Dans «Un voyage à Cythère» (CXVI, p. 179), par exemple, le «Ridicule pendu» est qualifié d'«allégorie» parce qu'il offre au poète l'image d'une déchéance, dans laquelle le «moi» se déchiffre lui-même.

Ainsi, l'image poétique dans *Les Fleurs du mal* oscille entre la pente de la consolation («Parfum exotique», XXII, p. 37) et celle de la lucidité accusatrice, qui renforce l'incidence du mal.

Genres et registres

Une poésie lyrique ?

À première vue, *Les Fleurs du mal* relèvent du champ de la poésie dite lyrique, qui se définit sommairement par son **énonciation à la première personne** et par l'**expression privilégiée des sentiments et des émotions personnelles**. S'il est indiscutable que de nombreux poèmes du recueil illustrent une telle définition (par exemple «Causerie», LV, p. 81, ou «Chanson d'après-midi», LVIII, p. 91), d'autres en revanche semblent répondre au vœu formulé par Baudelaire d'une poésie impersonnelle, qui ne soit pas directement rapportée à la personne de l'auteur et à ses vicissitudes biographiques. Il y a là comme une apparente contradiction : la composante personnelle du lyrisme ordinaire ne pouvant cohabiter avec la **dimension impersonnelle revendiquée par le poète**.

En vérité, Baudelaire prête au «Je» plusieurs emplois : il reflète une diversité de rôles ou de fonctions correspondant aux différentes attitudes de l'Homme. N'oubliez pas que *Les Fleurs du mal* recèlent une portée universelle. Ainsi, le locuteur qui dit «Je» dans «L'invitation au voyage» (LIII, p. 77) est d'abord un amant recherchant, en compagnie de l'aimée, une espèce d'expérience extatique plongée dans la lumière d'un monde idéal. De même, celui qui affirme «Je te hais, Océan!» et qui renchérit par ces mots «Car je cherche le vide, et le noir, et le nu!» («Obsession», LXXIX, p. 111),

n'est autre qu'une fonction mettant en scène – et en mots – la figure d'un être gagné par les ténèbres et le «goût du néant».

Baudelaire infléchit ainsi le lyrisme romantique en l'assouplissant. Il n'hésite pas à pervertir un mode d'expression poétique normalement centré sur le «moi» par l'intrusion d'éléments matériels et non-personnels, qui remplissent le rôle de symboles ou d'images projetées. Par exemple, dans «Spleen» (LXXV, p. 107), vous pourrez relever les mécanismes de détournement par lesquels Baudelaire évite d'employer les formes personnelles du «je» grammatical. La subjectivité angoissée du locuteur se manifeste selon les voies obliques d'une imagerie très riche et diversifiée (allant de l'allégorie initiale : «Pluviôse, irrité contre la ville entière» au symbolisme transparent d'un jeu de cartes), qui met l'accent sur les aspects extérieurs et concrets du spleen. Ce type d'expression poétique ressortit à ce qu'on a coutume d'appeler un «**lyrisme dépersonnalisé**».

La visée satirique

Comme l'indique clairement le poème «Au lecteur» (p. 10), le propos des *Fleurs du mal* est d'offrir un tableau du vice et de l'abjection d'une humanité soumise aux décrets de Satan. Par là, la poésie baudelairienne avoue son projet : proposer le **tableau satirique d'un monde déchu**. Mais, dans ce cas précis, la satire déroge à une de ses règles fondamentales, qui est de corriger, par la caricature, les travers et les ridicules des hommes. **Baudelaire méconnaît cette visée moralisatrice**. Comme le dit Walter Benjamin : « Quand Baudelaire décrit le vice et l'abjection, il s'inclut toujours dans le tableau. Il ignore le geste du poète satirique ». De fait, la satire baudelairienne n'épargne pas celui qui voit, juge et condamne. S'il flétrit, dans le poème V notamment, une humanité vouée à la déchéance et à la maladie (« Ô ridicules troncs ! torses dignes des masques ! », v. 21, p. 20), s'il récuse, dans « L'idéal » « ces beautés de vignettes, / Produits avariés, nés d'un siècle vaurien » (XVIII, v. 1 et 2, p. 35), il se prend lui-même pour cible dans d'autres textes, tout aussi décisifs.

Qu'on pense ainsi à « La muse malade » et à « La muse vénale », deux poèmes qui tiennent leur efficacité satirique non tant de la dénonciation morale que du procédé de dévaluation qui affecte ici la Muse, c'est-à-dire à la fois le poète et la poésie.

Ironie et parodie

De cette façon se nouent de manière inextricable **le lyrisme et l'ironie**, c'est-à-dire **le chant et la critique du chant**.

Poésie du déchirement, *Les Fleurs du mal* multiplient, au plan de l'expression poétique, de ses genres et de ses registres, les marques de la division ou de la contradiction. C'est la signature discordante d'un discours que le poème « L'héautontimorouménos » prend le soin de définir : « Ne suis-je pas un faux accord / Dans la divine symphonie, / Grâce à la vorace Ironie / Qui me secoue et qui me mord ? » (LXXXIII, v. 13 à 16, p. 115).

Baudelaire pousse jusqu'à sa dernière limite l'**héritage romantique du mélange des tons et des registres** : le sublime et le grotesque peuvent se superposer, et la caricature et la parodie prospérer dans une poésie qui s'applique à renverser les lieux communs de la tradition – et les poncifs d'un certain lyrisme convenu. Ainsi « Une charogne » (XXIX, p. 47) peut être lu comme une tentative systématique de subversion du code lyrique par l'ironie et la parodie : la dépouille putrescente célébrée dans ce poème est comme la métaphore dégradée du corps de la femme aimée, objet traditionnel de l'ode ou du sonnet dans la poésie lyrique romantique notamment. Le texte renferme un discours agressif et irrévérencieux, adressé à la Femme, figure complice et ennemie dont on peut suivre, de « Bénédiction » (I, p. 14) à « La Béatrice » (CXV, p. 178), la destitution ironique, moyennant un subtil dosage d'ambiguïtés et de franches accusations.

Mouvement littéraire et artistique

La modernité romantique

En 1857, Flaubert déclarait à Baudelaire: «Vous avez trouvé le moyen de rajeunir le romantisme. Vous ne ressemblez à personne.» De fait, la relation de Baudelaire au romantisme a toujours été faite d'extériorité et de profonde compréhension. Le poète s'inscrit dans un courant essoufflé qui, aux alentours de 1840-1850, cherche à se renouveler. *Les Fleurs du mal* apparaissent par bien des aspects comme une **tentative de prolongement et de dépassement de l'esthétique romantique**.

Le *Salon de 1845* et le *Salon de 1846* forment la base théorique initiale de la conception baudelairienne du romantisme. Des notions de première importance s'en dégagent: le **tempérament**, par exemple, qui est la traduction rigoureuse du génie de l'artiste, sa «pensée intime»; mais surtout la **couleur** qui, s'opposant au dessin, introduit dans le tableau le mouvement et l'harmonie et favorise du même coup, avec la «gamme des tons» et les «résultats des mélanges», une **science de la correspondance**. Baudelaire met au point, à partir de ses réflexions sur la couleur, une doctrine qui articulera sa poétique future (voir par exemple «Les phares», VI, p. 21).

Mais **la critique d'art lui permet aussi de définir le romantisme comme modernité**. Le peintre **Eugène Delacroix**, «coloriste» et «harmoniste» de génie, est à ses yeux l'exemple même de cette équation (voir *La Mort de Sardanapale*, reproduite en fin d'ouvrage, au verso de la couverture). Après avoir posé l'axiome selon lequel le «romantisme est l'expression la plus récente, la plus actuelle du beau», Baudelaire affirme que romantisme et modernité sont deux termes pour désigner une même réalité où se conjuguent «intimité, spiritualité, couleur, aspiration vers l'infini, exprimées par tous les moyens que contiennent les arts» («Salon de 1846»). Autrement dit la spécificité romantique ne tient pas au contenu mais à la «manière de sentir». Baudelaire met ainsi en place une catégorie fondatrice de son système esthétique, qui sera reprise et complétée dans son essai sur le peintre **Constantin Guys**, *Le Peintre de la vie moderne* (1863). (Vous pouvez vous reporter à l'œuvre de ce peintre reproduite en début d'ouvrage, au verso de la couverture.)

Le primat de l'imagination

De telles conceptions sont incompatibles avec les visées du réalisme dont les ambitions nouvelles s'affirment en 1856. Pour Baudelaire, toute poésie authentique se doit d'être «surnaturaliste» et puise l'essentiel de ses pouvoirs à la source de l'imagination. Cette dernière supplante en effet la simple imitation des aspects du réel. Ainsi Delacroix peut être qualifié de «poète en peinture», n'étant pas esclave des formes finies du monde objectif. Pour Baudelaire, l'imagination est une faculté créatrice qui donne volume et profondeur à l'intériorité de l'artiste, à sa vision intime des choses. Aussi les termes «intimité», «spiritualité», «couleur», «infini» sont-ils autant d'équivalents de la puissance imaginante.

Comme l'écrira Baudelaire dans le *Salon de 1859*, «**l'imagination est la reine du vrai**, et le possible est une des provinces du vrai. Elle est positivement apparentée avec l'infini». On comprend dès lors qu'elle soit l'instrument privilégié de la création poétique, car elle «a créé, au commencement du monde, l'analogie et la métaphore. Elle décompose toute la création, et, avec les matériaux amassés et disposés suivant des règles dont on ne peut trouver l'origine que dans le plus profond de l'âme, elle crée un monde nouveau, elle produit la sensation du neuf».

L'exemple d'Edgar Poe

Les options esthétiques de Baudelaire se délivrent ainsi à la fois du romantisme et du réalisme au sens strict du mot. À cet égard, Edgar Poe, le poète maudit d'outre-Atlantique, a fait figure d'initiateur. À partir de 1854, Baudelaire entreprend de traduire les *Histoires extraordinaires* et les *Nouvelles histoires extraordinaires*, qui paraîtront en 1856 et en 1857. Poe confirme ses propres choix en matière de création poétique: il loue les pouvoirs de l'imagination, les amplifie sous l'angle du fantastique

et de l'étrange, dans des récits subtilement composés qui sont comme autant de récusations des illusions du réalisme.

En outre, Poe insiste sur le fait que toute œuvre d'imagination – expression de la «pensée intime» du créateur, de ses obsessions et de ses fantasmes – n'en est pas moins le fruit d'un **travail conscient** et l'effet d'une **architecture formelle concertée**. Baudelaire retiendra cette leçon, qu'il mettra en application dans l'élaboration de son recueil. Certains poèmes des *Fleurs du mal* renchérissent d'ailleurs sur la nécessité du travail poétique et les règles de l'art (voir par exemple «Le guignon», XI, p. 28; «La beauté», XVII, p. 34; «La mort des artistes», CXXIII, p. 200).

Citations

Les Fleurs du mal

«Les parfums, les couleurs et les sons se répondent.»

Correspondances.

«Tu marches sur des morts, Beauté, dont tu te moques;
De tes bijoux l'Horreur n'est pas le moins charmant,
Et le Meurtre, parmi tes plus chères breloques,
Sur ton ventre danse amoureusement.»

Hymne à la Beauté.

«Je sais l'art d'évoquer les minutes heureuses,
Et revis mon passé blotti dans tes genoux.»

Le balcon.

«J'ai plus de souvenirs que si j'avais mille ans»

Spleen.

«À quiconque a perdu ce qui ne se retrouve
Jamais, jamais! à ceux qui s'abreuvent de pleurs
Et tètent la Douleur comme une bonne louve!»

Le cygne.

«Nous fuirons sans repos ni trêves
Vers le paradis de mes rêves!»

Le vin des amants.

«– Ah! Seigneur! donnez-moi la force et le courage
De contempler mon cœur et mon corps sans dégoût!»

Un voyage à Cythère.

«Nous voulons, tant ce feu nous brûle le cerveau,
Plonger au fond du gouffre, Enfer ou Ciel, qu'importe?
Au fond de l'inconnu pour trouver du *nouveau!*»

Le voyage.

À propos des *Fleurs du mal*

« Vos *Fleurs du mal* rayonnent et éblouissent comme des étoiles. »

Victor Hugo, Lettre de 1857.

« Vous avez trouvé le moyen de rajeunir le romantisme. Vous ne ressemblez à personne. »

Gustave Flaubert, Lettre de 1857.

« La profonde originalité de Ch. Baudelaire, c'est, à mon sens, de représenter puissamment et essentiellement l'homme moderne. [...] [C]e livre [*Les Fleurs du mal*] est la quintessence et comme la concentration extrême de tout un élément de ce siècle. »

Paul Verlaine, *Charles Baudelaire*, 1865.

« Mais inspecter l'invisible et entendre l'inouï étant autre chose que reprendre l'esprit des choses mortes, Baudelaire est le premier voyant, roi des poètes, *un vrai Dieu*. Encore a-t-il vécu dans un milieu trop artiste ; et la forme si vantée en lui est mesquine : les inventions d'inconnu réclament des formes nouvelles ».

Arthur Rimbaud, Lettre à Paul Demeny du 15 mai 1871.

« [...] il me semble que je pourrais commencer, forme par forme, à t'évoquer ce monde de la pensée de Baudelaire, ce pays de son génie, dont chaque poème n'est qu'un fragment, et qui dès qu'on le lit se rejoint aux autres fragments que nous en connaissons, comme dans un salon, dans un cadre que nous n'y avions pas encore vu, certaine montagne antique où le soir rougeoie et où passe un poète à figure de femme suivi de deux ou trois Muses, c'est-à-dire un tableau de la vie antique [...]. »

Marcel Proust, *Contre Sainte-Beuve*, 1908.

« Telles pourtant ces *Fleurs du mal*, "fleurs maladives", sont un livre quasi sacré. Notre désir d'une transcendance y a trouvé son inquiet repos.

Baudelaire a ranimé la grande idée sacrificielle inscrite dans la poésie.

Il a inventé, lorsque Dieu pour beaucoup avait cessé d'être, que la mort peut être efficace. Qu'elle seule reformera l'unité de l'homme perdue. »

Yves Bonnefoy, *L'Improbable*, Mercure de France, 1959.

Le scandale des *Fleurs du mal*: chronique d'un procès

En juin 1857 le volume *Les Fleurs du mal* paraît chez l'éditeur Poulet-Malassis. Les ennuis commencent dès le début du mois suivant: Gustave Bourdin rend compte du recueil dans *Le Figaro* en s'indignant de l'immoralité de l'ouvrage. «Si l'on comprend qu'à vingt ans l'imagination du poète puisse se laisser entraîner à traiter de semblables sujets, écrit-il, rien ne peut justifier un homme de plus de trente ans d'avoir donné la publicité à de semblables monstruosités». Très vite l'attention des fonctionnaires de la Direction de la Sûreté est alertée. L'affaire est portée à la connaissance du ministre de l'Intérieur. Le procureur général est saisi du dossier, si bien que dès le 17 juillet l'information judiciaire ouverte contre l'auteur et son éditeur aboutit à la saisie des exemplaires.

On reproche à Baudelaire d'avoir usé et abusé de certains accents choquants. On cite des poèmes où l'emporte nettement la note quelque peu véhémente de l'érotisme. On conclut à la pornographie. La poésie ne doit pas ainsi se dévêtir et offrir au regard le tableau sans fard des réalités crues. Pour la censure impériale, la poésie (surtout lue par les jeunes filles et les femmes au XIXᵉ siècle) et la littérature en général ne peuvent se concevoir en dehors d'un projet moralisateur, d'une perspective édifiante. Or *Les Fleurs du mal* apparaissent bien davantage comme une entreprise de démoralisation.

Le 20 août 1857 a lieu le procès. Pierre-Ernest Pinard, substitut qui avait requis contre Flaubert, construit son réquisitoire autour du grief d'atteinte à la morale publique. L'avocat de Baudelaire, maître Chaix d'Est-Ange, plaide en faveur d'une approche globale des poèmes incriminés: ceux-ci ne peuvent s'éclairer et se comprendre pleinement qu'en rapport à l'ensemble du recueil. C'est là l'idée principale retenue par Baudelaire dans son projet de défense: «Le livre doit être jugé dans son ensemble et alors il en ressort une terrible moralité». Cet argument a-t-il convaincu les magistrats? Le procès s'achève sur la condamnation suivante: Baudelaire doit retirer six pièces de son livre et payer une amende de trois cents francs. Les six poèmes en question sont «Les bijoux», «Le Léthé», «À celle qui est trop gaie», «Lesbos», «Femmes damnées (Delphine et Hippolyte)» et «Les métamorphoses du vampire» (voir ces pièces condamnées, p. 216-228). Baudelaire accepte la sentence – ce qui entraîne Poulet-Malassis, son éditeur, au bord de la faillite commerciale.

Le thème du Temps :
entre mémoire et angoisse

Pierre de Ronsard, *Sonnets pour Hélène*

Le sonnet XLIII des *Sonnets pour Hélène* de Pierre de Ronsard (1524-1585) emprunte à la tradition lyrique latine le thème conventionnel de la fuite du temps *(tempus fugit)*. S'il anticipe, en un tableau saisissant, le moment de la mort, il évoque aussi l'immortalité que confère la poésie et que la mémoire entretient. Le poème s'achève cependant sur une leçon épicurienne, qui invite à jouir de l'instant présent et à en tirer le meilleur...

Quand vous serez bien vieille, au soir à la chandelle,
Assise auprès du feu, dévidant et filant,
Direz chantant mes vers, en vous émerveillant :
« Ronsard me célébrait du temps que j'étais belle ».

Lors vous n'aurez servante oyant telle nouvelle,
Déjà sous le labeur à demi sommeillant,
Qui au bruit de mon nom ne s'aille réveillant,
Bénissant votre nom de louange immortelle.

Je serai sous la terre, et fantôme sans os
Par les ombres myrteux je prendrai mon repos ;
Vous serez au foyer une vieille accroupie,

Regrettant mon amour et votre fier dédain.
Vivez, si m'en croyez, n'attendez à demain :
Cueillez dès aujourd'hui les roses de la vie.

Pierre de Ronsard, *Sonnets pour Hélène*,
livre II [1578], *Les Amours*, Gallimard, «Poésie/Gallimard», 1974.

Alphonse de Lamartine, *Méditations poétiques*

Le recueil d'Alphonse de Lamartine (1790-1869) rencontre un succès immédiat dès sa publication. Les lecteurs y trouvent un nouveau répertoire poétique à la source de l'inspiration romantique : un lyrisme personnel, débarrassé des artifices de la poésie classique, chante les grands thèmes de la mélancolie moderne : solitude de l'individu, finitude de la vie, goût pour la méditation, sentiment de la nature, conscience aiguë du temps qui fuit. Le poème intitulé «Souvenir», composé en 1819, évoque en dix-huit quatrains l'inéluctable effacement des jours tout en affirmant le besoin d'éternité de l'homme face à l'évidence de la mort.

Souvenir

En vain le jour succède au jour,
Ils glissent sans laisser de trace ;
Dans mon âme rien ne t'efface,
Ô dernier songe de l'amour !

246

Je vois mes rapides années
S'accumuler derrière moi,
Comme le chêne autour de soi
Voit tomber ses feuilles fanées.

Mon front est blanchi par le temps ;
Mon sang refroidi coule à peine,
Semblable à cette onde qu'enchaîne
Le souffle glacé des autans.

Mais ta jeune et brillante image,
Que le regret vient embellir,
Dans mon sein ne saurait vieillir :
Comme l'âme, elle n'a point d'âge.

Non, tu n'as pas quitté mes yeux ;
Et quand mon regard solitaire
Cessa de te voir sur la terre,
Soudain je te vis dans les cieux.

Là, tu m'apparais telle encore
Que tu fus à ce dernier jour,
Quand vers ton céleste séjour
Tu t'envolas avec l'aurore.

Ta pure et touchante beauté
Dans les cieux même t'a suivie ;
Tes yeux, où s'éteignait la vie,
Rayonnent d'immortalité !

[...]

Alphonse de Lamartine, *Méditations poétiques* [1820],
Œuvres poétiques, Gallimard, « Poésie/Gallimard », 1981.

Victor Hugo, *Les Rayons et Les Ombres*

Dans «Tristesse d'Olympio», composé à l'automne 1837, Victor Hugo (1802-1885) met en scène un personnage qui est comme le double du poète. Revenant sur les lieux qui enchantèrent son premier amour, Olympio voudrait faire revivre la magie de ces jours heureux. Mais rien n'y fait: la nature, sereine et indifférente, ne ravive pas les heures bénies, et le poète, déçu, convaincu désormais de l'irréparable méfait du Temps, se livre à une méditation dont nous reproduisons un extrait.

«N'existons-nous donc plus? Avons-nous eu notre heure?
Rien ne la rendra-t-il à nos cris superflus?
L'air joue avec la branche au moment où je pleure;
Ma maison me regarde et ne me reconnaît plus.

D'autres vont maintenant passer où nous passâmes.
Nous y sommes venus, d'autres vont y venir;
Et le songe qu'avaient ébauché nos deux âmes,
Ils le continueront sans pouvoir le finir!

Car personne ici-bas ne termine et n'achève;
Les pires des humains sont comme les meilleurs;
Nous nous réveillons tous au même endroit du rêve.
Tout commence en ce monde et tout finit ailleurs.

Oui, d'autres à leur tour viendront, couples sans tache,
Puiser dans cet asile heureux, calme, enchanté,
Tout ce que la nature à l'amour qui se cache
Mêle de rêverie et de solennité!

D'autres auront nos champs, nos sentiers, nos retraites;
Ton bois, ma bien-aimée, est à des inconnus.
D'autres femmes viendront, baigneuses indiscrètes,
Troubler le flot sacré qu'ont touché tes pieds nus!

Quoi donc ! c'est vainement qu'ici nous nous aimâmes !
Rien ne nous restera de ces coteaux fleuris
Où nous fondions notre être en y mêlant nos flammes !
L'impassible nature a déjà tout repris. »

Victor Hugo, « Tristesse d'Olympio », strophes 16-21,
Les Rayons et les Ombres (1840), Gallimard, « Poésie/Gallimard », 1970.

Guillaume Apollinaire, *Alcools*

Héritier d'une tradition lyrique qu'il entreprend de renouveler, Guillaume Apollinaire (1880-1918) fait de son recueil une synthèse des courants et des sensibilités poétiques de la fin du xixe siècle et du début du xxe. À côté de textes modernistes, voire « cubistes », se rencontrent des poèmes qui s'inscrivent ouvertement dans le sillage du lyrisme élégiaque, mais qui s'emploient à en diversifier les accents et les images. Ainsi, le motif de l'automne (saison de la mélancolie associée à la fuite irrémédiable du temps) fait l'objet dans « Automne malade » d'un traitement original, qui tire parti de l'éclatement des formes poétiques traditionnelles – à commencer par l'effacement de tout signe de ponctuation.

Automne malade

Automne malade et adoré
Tu mourras quand l'ouragan soufflera dans les roseraies
Quand il aura neigé
Dans les vergers

Pauvre automne
Meurs en blancheur et en richesse
De neige et de fruits mûrs
Au fond du ciel
Des éperviers planent
Sur les nixes nicettes aux cheveux verts et naines
Qui n'ont jamais aimé

Aux lisières lointaines
Les cerfs ont bramé

Et que j'aime ô saison que j'aime tes rumeurs
Les fruits tombant sans qu'on les cueille
Le vent et la forêt qui pleurent
Toutes leurs larmes en automne feuille à feuille
        Les feuilles
        Qu'on foule
        Un train
        Qui roule
        La vie
        S'écoule

Guillaume Apollinaire, *Alcools* [1913], Gallimard,
Belin-Gallimard, «Classico», 2009.

Jules Supervielle, *Débarcadères*

Natif de Montevideo (Uruguay), Jules Supervielle (1884-1960) a toujours porté en lui la nostalgie de sa terre. Les voyages, les séjours prolongés en Europe, son installation en France sont vécus comme autant d'exils ou de déracinements. La poésie apparaît dès lors comme une tentative (imaginaire et onirique) de ressaisissement d'un passé incertain et discontinu. Les souvenirs, quoique encombrants, forment la vie d'un individu et constituent son «âme». Tel est en somme le sujet que le poème «Retour à Paris» traite avec humour et une grande liberté de ton.

Retour à Paris

Je voudrais vivre de mes souvenirs à petites bouffées
et que ne seraient-ils la rente fumeuse de mes voyages.
Mais ils veulent que je m'occupe d'eux tous en même temps.
Heureux celui qui dit: Entrez!
et ne voit s'avancer qu'un seul souvenir très déférent.

Voici des images de tous les formats, retour de voyage,
des tiroirs qui n'entrent pas tous dans les vides de mes vieilles
                                                     commodes,
un bois de cèdres au naturel,
des troupeaux de moutons coulant comme des fleuves,
des cataractes effroyables qui semblent tomber de l'au-delà,
et une pampa près de quoi la véritable
n'est qu'un bout de terrain vague des environs de Paris.
Comme je serais heureux d'envoyer le tout chez l'encadreur,
et qu'il n'en soit plus question !
Mais peut-être m'habituerai-je à ces choses de toutes les tailles
que je porte en moi et autour de moi
et finirai-je par montrer l'embonpoint moral
de la marchande de l'avenue du Bois
qui a de grands et de petits cerceaux
et du réconfort pour tous les âges !
Voici venir des charpentiers,
des égorgeurs,
des sages-femmes.
Entrez, mes chers metteurs en ordre,
je ne vous demande qu'une grâce,
ne touchez pas à ce que j'appellerai mon âme, accessoire trop
                               délicat pour vos grosses mains ouvrières,
ni à mon casque des colonies
qui me fut donné par une famille d'indigènes
un dimanche,
sous l'équateur,
ne touchez pas à ces choses

je vais repartir.

Jules Supervielle, *Gravitations*,
précédé de *Débarcadères* [1922], Gallimard, « Poésie/Gallimard », 1966.

Poésie et modernité : métamorphoses et sortilèges de la ville

Alfred de Vigny, *Poèmes antiques et modernes*

Dans ce poème intitulé « Paris », Alfred de Vigny (1797-1863) offre de la capitale une vision prophétique. Aux yeux du poète enthousiaste, la grande ville figure la cité moderne, délivrée des superstitions et des croyances anciennes et tournée vers un avenir qu'elle s'emploie à bâtir. De là l'importance de la métaphore dédoublée du feu et de la fusion des métaux : Paris est « l'ardente fournaise ». Le poème esquisse ainsi les grandes lignes d'une utopie humanitaire, dont la ville en pleine métamorphose serait le symbole éloquent. Nous reproduisons les vers 133 à 158 de ce texte.

Paris

Et c'est un Temple. Un Temple immense, universel,
Où l'homme n'offrira ni l'encens, ni le sel,
Ni le pain, ni le vin, ni le sang, ni l'hostie,
Mais son temps, et sa vie en œuvre convertie,
Mais son amour de tous, son abnégation
De lui, de l'Héritage et de la Nation ;
Seul, sans père et sans fils, soumis à la parole,
L'union est son but et le travail son rôle,
Et, selon celui-là, qui parle après Jésus,
Tous seront appelés et tous seront élus.
– Ainsi tout est osé !… Tu vois, pas de statue
D'homme, de roi, de Dieu, qui ne soit abattue,
Mutilée à la pierre et rayée au couteau,
Démembrée à la hache et broyée au marteau !
Or ou plomb, tout métal est plongé dans la braise
Et jeté pour refondre en l'ardente Fournaise.

Tout brûle, craque, fume et coule ; tout cela
Se tord, s'unit, se fend, tombe là, sort de là ;
Cela siffle et murmure ou gémit ; cela crie,
Cela chante, cela sonne, se parle et prie ;
Cela reluit, cela flambe et glisse dans l'air,
Éclate en pluie ardente ou serpente en éclair.
Œuvre, ouvriers, tout brûle ; au feu tout se féconde !
Salamandres partout !… – Enfer ! Éden du monde !
Paris ! principe et fin ! Paris ! ombre et flambeau !
– Je ne sais si c'est mal, tout cela ; mais c'est beau !

> Alfred de Vigny, *Poèmes antiques et modernes* [1837].
> *Les Destinées*, Gallimard, « Poésie/Gallimard ,1973.

Jules Laforgue, *Premiers poèmes*

Comme Baudelaire, son maître, Jules Laforgue (1860-1887) assiste aux spectacles de la vie quotidienne avec une acuité d'artiste philosophe. Des aspects fugitifs qu'offre la grande ville, animée et bruyante, il tire une leçon concernant l'humanité, sa condition et son devenir. En cela, la « rue » devient une espèce de scène allégorique où se déroule, sous les yeux du poète flâneur, une fable métaphysique. Écrit en 1880, le poème « Dans la rue » insiste sur la déchéance d'une population vouée à disparaître dans un cataclysme – catastrophe dont le poète fixe ici le scénario.

Dans la rue

C'est le trottoir avec ses arbres rabougris.
Des mâles égrillards, des femelles enceintes,
Un orgue inconsolable, ululant ses complaintes,
Les fiacres, les journaux, la réclame et les cris.

Et devant les cafés où des hommes flétris
D'un œil vide et muet contemplaient leurs absinthes
Le troupeau des catins défile lèvres peintes
Tarifant leurs appas de macabres houris.

Et la Terre toujours, s'enfonce aux steppes vastes,
Toujours, et dans mille ans Paris ne sera plus
Qu'un désert où viendront des troupeaux inconnus.

Pourtant vous rêverez toujours, étoiles chastes,
Et toi tu seras loin alors, terrestre îlot
Toujours roulant, toujours poussant ton vieux sanglot.

Jules Laforgue, Premiers poèmes, Les Complaintes
et les premiers poèmes [1880-1885], Gallimard, «Poésie /Gallimard», 1979.

Paul Verlaine, *Poèmes saturniens*

Dans son premier recueil de poèmes, Paul Verlaine (1844-1896) marche
dans les pas de Charles Baudelaire. «Croquis parisien» l'atteste, qui
avoue une dette évidente à la poétique urbaine des «Tableaux parisiens». Mais toute la subtilité de Verlaine, dans ce texte, consiste en un
art consommé de la condensation et de l'allusion. Le «croquis» concentre les aspects fugitifs d'un paysage parisien et amorce, indirectement,
une anecdote qui pourrait bien être une aventure nocturne.

Croquis parisien

La lune plaquait ses teintes de zinc
     Par angles obtus.
Des bouts de fumée en forme de cinq
Sortaient drus et noirs des hauts toits pointus.

Le ciel était gris. La bise pleurait
     Ainsi qu'un basson.
Au loin, un matou frileux et discret
Miaulait d'étrange et grêle façon.

Moi, j'allais, rêvant du divin Platon
Et de Phidias,
Et de Salamine et de Marathon,
Sous l'œil clignotant des bleus becs de gaz.

Paul Verlaine, *Fêtes galantes, Romances sans parole*, précédé de *Poèmes saturniens* [1867], Gallimard, «Poésie/Gallimard» 1973.

Louis Aragon, *Le Paysan de Paris*

Dans les premières pages du *Paysan de Paris*, Louis Aragon (1897-1982) livre une méditation consacrée à la magie des cités modernes, lieux d'un nouveau mystère dont il importe de déchiffrer les signes. Les passages parisiens constituent un de ces endroits privilégiés que baigne «la lumière moderne de l'insolite», cette étrangeté troublante qui est une incitation à sonder l'inconnu que chacun porte en soi.

Le Passage de l'Opéra

Là où se poursuit l'activité la plus équivoque des vivants, l'inanimé prend parfois un reflet de leurs plus secrets mobiles: nos cités sont ainsi peuplées de sphinx méconnus qui n'arrêtent pas le passant rêveur, s'il ne tourne vers eux sa distraction méditative, qui ne lui posent pas de questions mortelles. Mais s'il sait les deviner, ce sage, alors que lui les interroge, ce sont encore ses propres abîmes que grâce à ces monstres sans figure il va de nouveau sonder. La lumière moderne de l'insolite, voilà désormais ce qui va le retenir.

Elle règne bizarrement dans ces sortes de galeries couvertes qui sont nombreuses à Paris aux alentours des grands boulevards et que l'on nomme d'une façon troublante des passages, comme si dans ces couloirs dérobés au jour, il n'était permis à personne de s'arrêter plus d'un instant. Lueur glauque, en quelque manière abyssale, qui tient de la clarté soudaine sous une jupe qu'on relève d'une jambe qui se découvre. Le grand instinct américain, importé dans la capitale par un préfet du second Empire, qui tend à recouper au cordeau le plan de Paris, va bientôt rendre impossible le maintien de ces aquariums humains déjà morts à leur vie primitive, et qui méritent pourtant d'être regardés comme les receleurs de plusieurs mythes modernes, car c'est aujourd'hui seulement que la pioche les menace, qu'ils sont effectivement devenus les sanctuaires d'un culte de l'éphémère, qu'ils sont devenus le paysage fantomatique des plaisirs et des professions maudites, incompréhensibles hier et que demain ne connaîtra jamais.

Louis Aragon, *Le Paysan de Paris* [1926],
Gallimard, « La bibliothèque Gallimard », 2004.

Pierre Reverdy, *Sources du vent*

Lié aux artistes d'avant-garde du Bateau-Lavoir, tels que Georges Braque et Pablo Picasso, qui ont illustré certains de ses livres, Pierre Reverdy (1889-1960) conçoit la ville comme un sujet privilégié, un lieu du quotidien et de la banalité, susceptible d'être transfiguré par un regard aigu qui scrute les aspects du monde moderne et déchiffre les visages des passants anonymes. Le poème intitulé « Cinéma » met l'accent sur l'expérience urbaine de la multitude : la ville offre le spectacle renouvelé (comme un film qui défile) de ces inconnus qui vont, viennent, et qui sont aussi des semblables.

Cinéma

La ville est un trou
Et j'aime mieux ne pas me trouver au fond
Où sont des gens que je connais
Je vais toujours vers ceux que je ne connais pas
     Encore un de passé
     Et qui presse le pas
Mille cœurs pareils mis à nu
     Sanglants et terribles
Le secret qu'on n'a pas connu
     Et qui n'en valait pas la peine

Les visages m'en disent trop
      Les épaules en écriteau
Quelques rides de plus autour des yeux et de la bouche
Un clin d'œil
      Et je vais ailleurs
Pour voir des gens que je ne connais pas
Pêle-mêle je les aurais tous mis en tas
Et en haut fixé enfin
Seul et me connaissant assez bien
          Moi-même
          Tout ce que j'aime
Pour le premier venu qui ne passera pas

Pierre Reverdy, *Sources du vent*, Le Mercure de France, 1929.

Vers l'écrit du Bac

L'épreuve écrite du Bac de français s'appuie sur un corpus (ensemble de textes et de documents iconographiques). Le sujet se compose de deux parties : une ou deux questions portant sur le corpus puis trois travaux d'écriture au choix (commentaire, dissertation, écriture d'invention). Les questions sont notées sur 4 points, le travail d'écriture sur 16 points.

Sujet Poésie et correspondances : vers un dépassement du réel ?

☛ La poésie

Corpus

Texte A	Victor Hugo, *Les Contemplations*, « Oui, je suis le rêveur... »
Texte B	Charles Baudelaire, *Les Fleurs du mal*, « Les phares »
Texte C	Arthur Rimbaud, *Poésies*, « Voyelles »
Annexe 1	Charles Baudelaire, *Exposition universelle*, « Delacroix »
Annexe 2	Eugène Delacroix, *La Mort de Sardanapale*

Texte A
Victor Hugo, *Les Contemplations* (1856)

Oui, je suis le rêveur ; je suis le camarade
Des petites fleurs d'or du mur qui se dégrade,
Et l'interlocuteur des arbres et du vent.
Tout cela me connaît, voyez-vous. J'ai souvent,
En mai, quand de parfums les branches sont gonflées,
Des conversations avec les giroflées ;
Je reçois des conseils du lierre et du bleuet.
L'être mystérieux, que vous croyez muet,
Sur moi se penche, et vient avec ma plume écrire.
J'entends ce qu'entendit Rabelais ; je vois rire
Et pleurer ; et j'entends ce qu'Orphée entendit.
Ne vous étonnez pas de tout ce que me dit
La nature aux soupirs ineffables. Je cause
Avec toutes les voix de la métempsycose.
Avant de commencer le grand concert sacré,
Le moineau, le buisson, l'eau vive dans le pré,
La forêt, basse énorme, et l'aile et la corolle,
Tous ces doux instruments m'adressent la parole.
Je suis l'habitué de l'orchestre divin ;
Si je n'étais songeur, j'aurais été sylvain.
[…]

Victor Hugo, *Les Contemplations*,
Première partie, Livre I, extrait du poème XXVII, 1835.

Texte B
Baudelaire, *Les Fleurs du mal* (1861)

Les phares

Rubens, fleuve d'oubli, jardin de la paresse,
Oreiller de chair fraîche où l'on ne peut aimer,
Mais où la vie afflue et s'agite sans cesse,
Comme l'air dans le ciel et la mer dans la mer ;

Léonard de Vinci, miroir profond et sombre,
Où des anges charmants avec un doux souris
Tout chargé de mystère, apparaissent dans l'ombre
Des glaciers et des pins qui ferment leur pays ;

Rembrandt, triste hôpital tout rempli de murmures,
Et d'un grand crucifix décoré seulement,
Où la prière en pleurs s'exhale des ordures,
Et d'un rayon d'hiver traversé brusquement ;

[...]

Goya, cauchemar plein de choses inconnues,
De foetus qu'on fait cuire au milieu des sabbats,
De vieilles au miroir et d'enfants toutes nues,
Pour tenter les démons ajustant bien leurs bas ;

Delacroix, lac de sang hanté de mauvais anges,
Ombragé par un bois de sapins toujours vert,
Où, sous un ciel chagrin, des fanfares étranges
Passent, comme un soupir étouffé de Weber ;

Charles Baudelaire, *Les Fleurs du mal*,
« Spleen et idéal », VI, strophes 1 à 3 et 7 à 8.

Texte C
Arthur Rimbaud, *Poésies* **(1871)**

Voyelles

A noir, E blanc, I rouge, U vert, O bleu : voyelles,
Je dirai quelque jour vos naissances latentes :
A, noir corset velu des mouches éclatantes
Qui bombinent autour des puanteurs cruelles,

Golfes d'ombre ; E, candeurs des vapeurs et des tentes,
Lances des glaciers fiers, rois blancs, frissons d'ombelles ;
I, pourpres, sang craché, rire des lèvres belles
Dans la colère ou les ivresses pénitentes ;

U, cycles, vibrements divins des mers virides,
Paix des pâtis semés d'animaux, paix des rides
Que l'alchimie imprime aux grands fronts studieux ;

O, suprême Clairon plein des strideurs étranges,
Silences traversés des Mondes et des Anges :
– O l'Oméga, rayon violet de Ses Yeux !

Arthur Rimbaud, Poésies, « Voyelles ».

Annexe 1
Charles Baudelaire, *Exposition universelle* **(1855)**

Une autre qualité, très grande, très vaste, du talent de M.
Delacroix, et qui fait de lui le peintre aimé des poètes, c'est qu'il
est essentiellement littéraire. Non seulement sa peinture a par-
couru, toujours avec succès, le champ des hautes littératures,
non seulement elle a traduit, elle a fréquenté Arioste, Byron,
Dante, Walter Scott, Shakespeare, mais elle sait révéler des idées
d'un ordre plus élevé, plus fines, plus profondes que la plupart
des peintures modernes. Et remarquez que ce n'est jamais par

la grimace, par la minutie, par la tricherie de moyens, que M. Delacroix arrive à ce prodigieux résultat ; mais par l'ensemble, par l'accord profond, complet, entre sa couleur, son sujet, son dessin, et la dramatique gesticulation de ses figures.

Edgar Poe dit, je ne sais plus où, que le résultat de l'opium pour les sens est de revêtir la nature entière d'un intérêt surnaturel qui donne à chaque objet un sens plus profond, plus volontaire, plus despotique. [...] Eh bien, la peinture de M. Delacroix me paraît la traduction de ces beaux jours de l'esprit. Elle est revêtue d'intensité et sa splendeur est privilégiée. Comme la nature perçue par des nerfs ultra-sensibles, elle révèle le surnaturalisme.

Charles Baudelaire, *Exposition universelle*, « Delacroix ».

Annexe 2
Eugène Delacroix, *La Mort de Sardanapale* (1827)

➡ Image reproduite en fin d'ouvrage, au verso de la couverture.

■ Questions sur le corpus (4 points)

1. Chacun des poèmes rassemblés dans ce corpus présente une conception singulière de la correspondance poétique. Au delà des différences constatées, vous mettrez en lumière les lignes de convergence d'une poétique de la correspondance universelle, qui permet de faire communiquer les règnes, les ordres et les langages.

2. La théorie de la correspondance est solidaire d'une représentation de la nature et de l'homme. Montrez comment, dans les textes du corpus, cette représentation est élaborée. Insistez sur sa portée symbolique.

■ Travaux d'écriture (16 points)

Commentaire

Vous ferez le commentaire de l'extrait des « Phares » de Charles Baudelaire (texte B).

Dissertation

Dans une lettre du 15 mai 1871, adressée au poète Paul Demeny, Rimbaud écrivait : « Je dis qu'il faut être voyant, se faire voyant ».

Vous vous demanderez dans quelle mesure cette exigence de la « voyance » doit conduire la poésie à dépasser le réel. Vous prendrez appui sur les textes du corpus, sur les annexes, ainsi que sur vos propres connaissances littéraires.

Écriture d'invention

Vous êtes, en votre qualité de critique d'art, tenu de rendre compte d'une exposition de tableaux. Vous devez fournir, en particulier, la description de *La Mort de Sardanapale* d'Eugène Delacroix en vous efforçant de la rendre « visible » par le choix approprié des mots et des images.

Fenêtres sur...

 Des ouvrages à lire

Un ouvrage sur Baudelaire

- Robert Kopp, *Baudelaire: Le soleil noir de la modernité,* Gallimard, «Découvertes Gallimard», 2004.

Des études d'ensemble

- Jean-Pierre Richard [1955], «Profondeur de Baudelaire» dans *Poésie et profondeur,* Le Seuil, «Points Essais», 1976.
- Michel Butor, *Histoire extraordinaire. Essai sur un rêve de Baudelaire* [1961], Gallimard, «Folio essais», 1988.
- Walter Benjamin, *Charles Baudelaire* [1974], Petite Bibliothèque Payot, 2002.

Des études sur *Les Fleurs du mal*

- Yves Bonnefoy, «*Les Fleurs du mal*» dans *L'Improbable et autres essais* [1959], Mercure de France, «Essais», 1992.
- Hugo Friedrich, le chapitre II de *Structure de la poésie moderne,* Le Livre de Poche, «Références», 1999.
- Jean Starobinski, *La Mélancolie au miroir* [1989], Julliard, 1997.
- John E. Jackson, *Baudelaire,* Le Livre de Poche, «Références», 2001.

Des poètes contemporains de Baudelaire

- Théophile Gautier, *Émaux et camées* [1852], Gallimard, «Poésie/Gallimard», 1981.
- Gérard de Nerval, *Les Chimères* [1854], Gallimard, «Poésie/Gallimard», 2005.
- Victor Hugo, *Les Contemplations* [1856] Gallimard, «Poésie/Gallimard», 1973.
- Paul Verlaine, *Fêtes galantes* [1869], *Poèmes saturniens* [1866] Gallimard, «Folioplus classiques», 2005.

🏛 *Des œuvres à voir*

- Eugène Delacroix, *Femmes d'Alger dans leur appartement*, 1832, huile sur toile, Paris, musée du Louvre.
- Gustave Courbet, *L'Atelier du peintre*, 1855, huile sur toile, Paris, Musée d'Orsay.
- Francisco de Goya, *Le Sabbat des sorcières*, 1820-1823, peinture murale transposée sur toile, Madrid, musée du Prado.
- John Hamilton Mortimer, *Death on a pale horse*, gravure, 1784, Londres, British Museum.
- Félix Nadar, *Baudelaire*, photographie, vers 1854, Paris, musée d'Orsay.

Glossaire

Les mots de la poésie

Alexandrin: type de vers comportant douze syllabes et traditionnellement
divisé, par une césure médiane, en deux parties égales appelées
hémistiches (6//6).

Allégorie: figure consistant à représenter sous des traits humains et
animés une valeur abstraite, une idée ou un concept. L'allégorie prend
souvent la forme d'une image « filée », c'est-à-dire développée dans
le cadre d'une description ou d'une scène.

Allitération: Répétition à intervalles rapprochés d'une même consonne
dans une phrase ou une strophe. L'allitération est une figure
de la répétition des sonorités.

Assonance: Répétition à intervalles rapprochés d'une même voyelle dans
une phrase ou une strophe. L'assonance est une figure de la répétition
des sonorités.

Césure: Pause forte marquée à un endroit fixe du vers, le divisant en deux
parties. L'alexandrin comporte une césure après la sixième syllabe
accentuée (6//6); le décasyllabe classique après la quatrième syllabe
accentuée (4//6).

Connotation: l'acte de connoter, ou connotation, consiste, pour un mot ou une suite de mots, à ajouter au sens dénoté des valeurs ou des qualités subjectives et/ou contextuelles (affectivité, appartenance sociale, idéologique, politique...). Par exemple, le mot « cygne », dans le poème de Baudelaire portant ce titre, peut connoter la fragilité, la grâce, la beauté...

Décasyllabe: type de vers comportant dix syllabes et une césure après la quatrième syllabe accentuée. Il est ainsi divisé en deux parties inégales (4//6). Le décasyllabe peut également être segmenté en 6//4, voire en 5//5 comme dans le poème « La mort des amants » des *Fleurs du mal*.

Dénotation: l'acte de dénoter, ou dénotation, consiste, pour un mot, à référer à un être ou un objet défini. Par exemple, le mot « cygne », dans le poème de Baudelaire portant ce titre, dénote un animal appartenant à une certaine classe d'animaux.

Diérèse: dissociation au sein d'un mot de deux voyelles correspondant habituellement à un seul son, en vue d'obtenir une syllabe de plus dans un vers. Par exemple, le mot « violon » dans « Le violon frémit » (v. 6) du poème « Harmonie du soir » comporte une diérèse : « vi/o/lon » (3 syllabes).

Discordance: on range sous ce terme les phénomènes de décalage entre le vers et la phrase : rejet, contre-rejet, enjambement, qui apparaissent aux limites internes (césure) ou externes (fin de vers) du vers.

Enjambement: type de discordance par laquelle la phrase se poursuit d'un vers sur l'autre, sans pause ni rupture. Par exemple, « Et le riche métal de notre volonté / Est tout vaporisé par ce savant chimiste » (« Au lecteur »).

Hémistiche: nom donné à chacune des deux parties constitutives de l'alexandrin classique : chaque hémistiche comporte six syllabes.

Métaphore: image consistant à établir une relation d'analogie entre deux réalités distinctes, sans recourir aux moyens ordinaires de la comparaison (comme, tel que, pareil à...). Par exemple, « Ma jeunesse ne fut qu'un ténébreux orage » (« L'ennemi »).

Pantoum: forme poétique, originaire de Malaisie. Le pantoum, organisé
en quatrains, repose sur une règle de composition assez stricte :
le deuxième et le quatrième vers de chaque strophe doivent être repris
respectivement comme premier et troisième vers de la strophe
suivante ; le premier vers du poème doit reparaître à la fin comme
dernier vers du poème. Cette règle de récurrence a connu
des assouplissements et des raffinements comme en témoigne
« Harmonie du soir » de Baudelaire, qui s'inspire librement du modèle
du pantoum. Amateur de variations et de répétions modulées, Verlaine
écrira un « Pantoum négligé ».

Parodie: Au départ, genre littéraire visant à réécrire et à détourner, à
des fins plaisantes ou plus ouvertement bouffonnes, une œuvre
sérieuse antérieure dont le sens est ainsi dénaturé. Par extension,
toute imitation consistant à dégrader ou à rabaisser un langage noble,
une idée élevée ou une attitude sérieuse.

Prosopopée: figure de rhétorique consistant à prêter la parole
à des absents, des morts ou des êtres inanimés.

Quatrain: groupement de quatre vers rimant entre eux et formant
une unité syntaxique et sémantique relative.

Rejet: type d'enjambement qui met en relief un élément bref de
la phrase en le « rejetant » d'un vers sur l'autre. Par exemple, « Il est
de forts parfums pour qui toute matière / Est poreuse ».

Rimes (distribution des): les rimes peuvent être distribuées ou disposées
de trois manières : elles peuvent être suivies (aa / bb…), croisées (abab
/ cdcd…) ou embrassées (abba/ cddc…).

Rimes (qualité des): la qualité des rimes dépend du nombre de sons
(phonèmes) qu'elles contiennent. La rime pauvre ne comporte
qu'un phonème en commun, la rime suffisante deux phonèmes, la rime
riche trois phonèmes et plus. Dans les deux tercets du sonnet « Je te
donne ces vers… » (XXXIX, p. 60) se rencontrent ces trois types de
rimes (« profond »/»répond » : rime pauvre ; « serein » / « airain » : rime
suffisante ; « éphémère » / « amère » : rime riche).

Sonnet: forme poétique issue de la tradition lyrique du Moyen Âge et de la Renaissance italienne, adoptée en France par les poètes de La Pléiade et progressivement codifiée à travers les siècles. Sa forme canonique est la suivante : deux quatrains suivis de deux tercets rimant selon le schéma abba / abba / ccd / ede.

Symbole : type d'image consistant à établir une relation d'analogie entre une valeur, une idée et une forme concrète, souvent empruntée à l'univers du vivant. Ainsi, dans le poème « L'albatros », l'albatros est le symbole de la condition du poète, soumis à l'hostilité de ses semblables.

Tercet : strophe comportant trois vers et s'insérant exclusivement dans la forme du sonnet. Les strophes de trois vers rencontrées par ailleurs sont des « terza rima ».

Triptyque : tableau composé de trois panneaux articulés et qui représente une scène souvent narrative. Le terme est employé également en littérature pour désigner une représentation à trois volets.

Tropes : tous les procédés rhétoriques par lesquels un mot est détourné de son sens propre et employé dans un sens différent. La métaphore est un trope.

Louanges de ma Françoise
(LX, p. 93)

Je te chanterai sur des cordes nouvelles,
Ô ma bichette qui te joues
Dans la solitude de mon cœur.

Sois parée de guirlandes,
5 Ô femme délicieuse
Par qui les péchés sont remis !

Comme d'un bienfaisant Léthé,
Je puiserai des baisers de toi
Qui es imprégnée d'aimant.

10 Quand la tempête des vices
Troublait toutes les routes,
Tu m'es apparue, Déité,

Comme une étoile salutaire
Dans les naufrages amers...
15 – Je suspendrai mon cœur à tes autels !

Piscine pleine de vertu,
Fontaine d'éternelle jouvence,
Rends la voix à mes lèvres muettes !

Ce qui était vil, tu l'as brûlé ;
20 Rude, tu l'as aplani ;
Débile, tu l'as affermi.

Dans la faim mon auberge,
Dans la nuit ma lampe,
Garde-moi toujours comme il faut.

25 Ajoute maintenant des forces à mes forces,
Doux bain parfumé
De suaves odeurs !

Brille autour de mes reins,
Ô ceinture de chasteté,
30 Trempée d'eau séraphique ;

Coupe étincelante de pierreries,
Pain relevé de sel, mets délicat,
Vin divin, Françoise.

Traduction de Jules Mouquet dans son édition
des *Vers latins de Charles Baudelaire*, Le Mercure de France, 1933.

Les poèmes du recueil

Notes

Notes

Notes

Notes

Dans la même collection

CLASSICOCOLLÈGE

14-18 Lettres d'écrivains (anthologie) (1)
Gilgamesh (17)
Guillaume Apollinaire – *Calligrammes* (2)
Chrétien de Troyes – *Yvain ou le Chevalier au lion* (3)
Didier Daeninckx – *Meurtres pour mémoire* (4)
William Golding – *Sa Majesté des Mouches* (5)
Victor Hugo – *Claude Gueux* (6)
Guy de Maupassant – *Histoire vraie et autres nouvelles* (7)
Prosper Mérimée – *Mateo Falcone* et *La Vénus d'Ille* (8)
Molière – *Les Fourberies de Scapin* (9)
Molière – *Le Médecin malgré lui* (13)
Jean Molla – *Sobibor* (32)
Homère – *L'Odyssée* (14)
Charles Perrault – *Le Petit Poucet et trois autres contes* (15)
Edgar Allan Poe – *Trois nouvelles extraordinaires* (16)
Jules Romains – *Knock ou le Triomphe de la médecine* (10)
Antoine de Saint-Exupéry – *Lettre à un otage* (11)
Paul Verlaine – *Romances sans paroles* (12)

CLASSICOLYCÉE

Guillaume Apollinaire – *Alcools* (25)
Dai Sijie – *Balzac et la petite tailleuse chinoise* (28)
Romain Gary – *La Vie devant soi* (29)
J.-Cl. Grumberg, Ph. Minyana, N. Renaude – *Trois pièces contemporaines* (24)
Victor Hugo – *Ruy Blas* (19)
Eugène Ionesco – *La Cantatrice chauve* (20)
Guy de Maupassant – *Bel-Ami* (27)
Molière – *Dom Juan* (26)
Abbé Prévost – *Manon Lescaut* (23)
Jean Racine – *Andromaque* (22)
Voltaire – *Candide* (18)

Pour obtenir plus d'informations, bénéficier d'offres spéciales enseignants ou nous communiquer vos attentes, renseignez-vous sur www.editions-belin.com ou envoyez un courriel à contact.classico@editions-belin.fr

Imprimé en Espagne par Novoprint (Barcelone)
N° d'édition : 005148-01 – Dépôt légal : août 2009